SCHWEIZERLEBNISSWITZERLANDEXPERIENCE
EXPÉRIENCESUISSEESPERIENZASVIZZERA

Schweiz Tourismus.
MySwitzerland.com

Herausgegeben von/Published by
Publié par/Pubblicato da

Schweiz Tourismus
Switzerland Tourism
Suisse Tourisme
Svizzera Turismo

Fotos/Photos
Photos/Fotografie

Robert Bösch
Roland Gerth
Marcus Gyger
Max Schmid
Christof Sonderegger
and others

Texte/Texts
Textes/Testi

Matthias Mächler
Christoph Zurfluh

AS Verlag

Vorwort

Einmal im Leben ganz oben stehen, auf dem legendären Jungfraujoch zum Beispiel. Oder das weltberühmte Matterhorn von nahem sehen. Einmal im Leben im ausgewaschenen Flussbett der Verzasca baden. Oder an den Gestaden des Genfersees sitzen, während die Abendsonne die Schneehänge rot färbt und beim Schloss Chillon das letzte Schiff ablegt.

Einmal im Leben die Schweiz bereisen! Viele träumen davon. Viele tun es. Und viele kehren immer wieder zurück. Denn es gibt etwas, was noch typischer ist für die Schweiz als Käse, Schokolade und Uhren: die atemberaubende Vielfalt der Natur. Nirgendwo sonst in der Welt drängen sich die Höhepunkte derart dicht wie im kleinen Land im Herzen Europas.

Damit sich die Schweiz entdecken lässt, wenn man längst wieder zuhause ist (oder zur Inspiration für den nächsten Urlaub), haben Experten von Schweiz Tourismus die schönsten Ausflüge zusammengestellt, die eindrücklichsten Fotos gesucht und sie mit würzigen Kurztexten und prägnanten Bildlegenden gespickt. So werden aus grosszügigen Bildstrecken eindrückliche Erlebnisse. Natürlich sind sie nicht nur in Gedanken nachvollziehbar, sondern auch vor Ort in Gasthäusern, mit der Bergbahn oder in Wanderschuhen. Nützliche Reiseinformationen findet man im Anhang.

«Schweiz Erlebnis» präsentiert die schönsten Seiten aller Landesteile und überraschende Aufnahmen selten fotografierter Landschaften. Die Weite des Gletscherplateaus der Diablerets etwa, die malerische Karstlandschaft im Entlebuch oder die alten Säumerpfade in archaischen Schluchten zum Splügenpass. Da werden selbst Schweiz-Kenner Augen machen.

Jürg Schmid
Direktor, Schweiz Tourismus

Foreword

Feel on top of the world on the legendary Jungfraujoch, admire the world-famous Matterhorn at firsthand or cool off in the crystal clear waters of the beautiful Verzasca River. While away time on the shores of Lake Geneva, watching the snowy peaks glow red as day turns to night and the last ship of the day gently slips away from the Château de Chillon.

Many people dream of travelling through Switzerland at least once in their lifetime. Many fulfil this dream, and many keep on coming back for more! Why? Because the breathtaking diversity of nature and landscapes is even more Swiss than cheese, chocolate and watches – nowhere else in the world boasts quite as many highlights as close to one another as in this little country right in the heart of Europe!

To help you to enjoy Switzerland long after you have returned home – and to provide inspiration for your next visit – experts from Switzerland Tourism have selected some of the most fascinating destinations and spectacular photographs, and have combined these with useful and informative texts. The result is a masterpiece rich in images and emotions – enjoy it from the comfort of your armchair, or discover it for yourself, staying in one of our many guesthouses and exploring by mountain transport or on foot. Useful travel tips are included at the back of the book.

"Switzerland Experience" presents the very best of our country's incredibly diverse regions, with stunning pictures of rarely photographed landscapes – from the expanse of the Diablerets glacial plateau and the intriguing karst rock formations of the Entlebuch, to the old trading route through the winding gorges of the Splügen Pass. Even those who know Switzerland well will be truly inspired!

Jürg Schmid
Director, Switzerland Tourism

Préface

Monter jusqu'au sommet, sur le légendaire Jungfraujoch par exemple. Ou voir le célèbre Cervin de tout près. Se baigner au creux des rochers polis par la Verzasca. Ou encore s'asseoir sur les rives du lac Léman pendant que le soleil se couche, enflammant le ciel et les montagnes, et que le dernier bateau quitte le débarcadère du château de Chillon.

Visiter la Suisse une fois dans sa vie! Beaucoup en rêvent. Beaucoup le font. Et beaucoup y retournent régulièrement. Car plus encore que le fromage, le chocolat ou les montres, c'est l'extraordinaire diversité des paysages naturels qui fait la réputation de la Suisse. Ce petit pays situé au cœur de l'Europe offre une densité de sites exceptionnels qu'on ne trouve nulle part ailleurs.

Pour vous permettre de découvrir d'autres aspects de la Suisse après votre retour (ou afin de vous inspirer pour votre prochain séjour), des experts de Suisse Tourisme ont choisi les plus belles excursions, cherché les photos les plus spectaculaires et les ont accompagnées de petits textes pertinents et de légendes. Le résultat est un recueil imagé riche en émotions. Bien entendu, l'expérience est encore plus spectaculaire sur place dans les auberges pittoresques, les remontées mécaniques ou sur les sentiers pédestres. Des informations utiles pour le voyage sont fournies en annexe.

«Expérience Suisse» présente les plus belles facettes de toutes les régions de Suisse et des vues surprenantes de paysages rarement photographiés: l'étendue du plateau glaciaire des Diablerets, par exemple, le paysage karstique fascinant de l'Entlebuch ou les anciens sentiers muletiers dans les gorges sauvages près du col du Splügen. Même les connaisseurs de la Suisse ouvriront de grands yeux.

Jürg Schmid
Directeur, Suisse Tourisme

Prefazione

Stare per una volta nella vita a quote vertiginose, per esempio sulla mitica Jungfraujoch. O ammirare da vicino il celebre Cervino. Nuotare per una volta nel levigato letto della Verzasca. O sedere sulle rive del Lago Lemano, mentre il sole del tramonto tinge di rosso i pendii innevati e dal castello di Chillon salpa l'ultimo battello.

Per una volta nella vita: viaggiare attraverso la Svizzera! Molti lo sognano, molti lo fanno. E molti continuano a tornarci. Qualcosa in Svizzera è ancora più tipico di formaggio, cioccolato e orologi: l'emozionante varietà della natura. In nessun altro luogo al mondo s'incontra la densità di attrazioni, che vanta questo piccolo Paese nel cuore d'Europa.

Per riscoprire la Svizzera anche quando il proprio viaggio è ormai un ricordo lontano (e magari trovare ispirazione per la prossima vacanza), gli esperti di Svizzera Turismo hanno riunito le più belle escursioni e scelto le foto più suggestive, condendole con brevi commenti gustosi e didascalie puntuali. Ed ecco che una ricca galleria di immagini diventa un'avventura emozionante! Da non vivere solo col pensiero, ma anche sul posto: negli alberghi di montagna, sui trenini o con gli scarponi. Allegate, ci sono tutte le informazioni utili.

«Esperienza Svizzera» presenta gli angoli più belli del nostro Paese insieme a sorprendenti paesaggi raramente fotografati. La vastità dell'altopiano glaciale dei Diablerets, il pittoresco ambiente carsico dell'Entlebuch o antiche mulattiere nelle arcaiche gole del Passo dello Spluga... Immagini che lasceranno senza fiato anche i conoscitori della Svizzera.

Jürg Schmid
Direttore, Svizzera Turismo

www.as-verlag.ch

2. Auflage 2007
© AS Verlag & Buchkonzept AG, 2006
Design: www.vonarxgrafik.ch,
Heinz von Arx, Urs Bolz, Zürich
Prepress: Matthias Weber, Zürich
Photolithos: Ast & Jakob AG, Köniz
Printing: B&K Offsetdruck, Ottersweier
Binding: Josef Spinner Groß-
buchbinderei GmbH, Ottersweier
ISBN 978-3-909111-30-0

Cover picture (front): The Aletsch Glacier

Front flyleaf: The Matterhorn from Stellisee

Page 4: Hinterrugg and the Glarner Alps

Page 6: Schynige Platte with the Jungfrau in
the background

Back flyleaf: The Mönch and the north-east
ridge of the Eiger

Cover picture (back): The Weisshorn

Inhalt und Redaktion/Content and editing
Textes et rédaction/Testi e redazione
Roland Baumgartner
Corinne Boner
Heinz Keller
Carmen Stenico
Daniel Stüdeli
Heinz von Arx

Wertvolle und aktuelle touristische Informationen zum Ferien-, Reise- und Kongress-
land Schweiz unter www.MySwitzerland.com
Kostenlose Telefonnummer 00800 100 200 30
(international)

For useful and up-to-date information
for holidays, travelling and business trips
in Switzerland, visit www.MySwitzerland.com
or call on international freephone
number 00800 100 200 30

De précieuses informations touristiques,
toujours actuelles, sur la Suisse, pays de
vacances, de voyages et de congrès se
trouvent sous www.MySwitzerland.com
Téléphonez gratuitement au 00800 100 200 30
(service international)

Informazioni turistiche utili e aggiornate
sulla Svizzera, il Paese delle vacanze,
dei viaggi e dei congressi, su
www.MySwitzerland.com
N° verde (internazionale) 00800 100 200 30

Bildnachweis/Photo credits
Crédits photographiques/Credits foto
Robert Bösch, Oberägeri: 2/3, 4, 10/11,
    12 bottom right, 13, 27, 38 bottom left,
    39, 42/43, 44 top left and bottom, 45, 47,
    51, 52/53, 76 top, 77, 78/79, 81, 92 right,
    98 top right, 110/111, 112 top left and
    right, 113, 117, 118/119, 120/121, 122/123,
    126/127, 131, 142, 145, 146/147, 176/177,
    179, 180/181, 188/189, 190/191, 206/207
Lucia Degonda, Zürich: 186/187
Bernhard van Dierendonck, Zürich:
    12 top right, 16 top right, 17
Stephan Engler, Vevey: 54/55, 57, 61
Roland Gerth, Thal: 20/21, 23, 24/25, 36/37,
    38 right, 40 right, 50 top left and bottom,
    56, 62/63, 65, 66/67, 69, 72, 85, 89,
    96/97, 108 top right, 109, 114/115,
    140/141, 154 top left, 160/161, 162,
    164/165, 166 right, 167, 168, 174, 178,
    182/183
Philipp Gigel, Zürich: 197
Marcus Gyger, Bern: 82/83, 84, 124/125,
    184/185, 194/195, 196 top right and bottom
Robert Hofer, Sion: 158 bottom
Luftbild Schweiz, Dübendorf: 105
Peter Maurer, Weisslingen: 60
Urs Möckli, Bauma: 134/135, 136 right, 137

Otto Pajarola, Chur: 94/95, 98 top left
    and bottom, 98 bottom right, 99
Christian Perret, Emmetten: 132/133
Max Schmid, Winterthur: 33, 59, 93,
    128/129, 156/157, 175
Schweiz Tourismus, Zürich: 106/107
Christof Sonderegger, Rheineck: 6, 12 top
    left and bottom, 14/15, 16 top left and
    bottom, 16 bottom right, 18/19, 22, 26,
    28/29, 30/31, 32, 34/35, 38 top left, 40 top
    left and bottom, 41, 44 right, 46, 48/49,
    50 top right and bottom, 58, 68, 70/71, 73,
    74/75, 76 bottom, 80, 86/87, 88, 90/91,
    92 left, 100/101, 102/103, 104, 108 top left
    and bottom right, 112 bottom left, 116,
    130, 136 top left and bottom, 143, 144,
    148/149, 150 top left, 151, 159, 163,
    166 left, 169, 170/171, 172/173, 192/193,
    196 top left and bottom
Heinz Staffelbach, Winterthur: 138/139
Jürg Stauffer, Solothurn: 158 top
Tourismusbüro Châtel-St-Denis,
    Les Paccots: 64
Marco Volken, Zürich: 150 right, 152/153,
    154 bottom left, 154 right, 155

Inhalt

Contents

Contenu

Indice

Schweizerischer Nationalpark

Swiss National Park · Parc National Suisse · Parco Nazionale Svizzero

Im Reich der Tiere

Wer in die unberührte Natur des ältesten Nationalparks im europäischen Alpenraum eintauchen möchte, wandert durchs Cluozza-Tal, wo mitten in der Wildnis auf 1882 Metern ein Blockhaus zum Übernachten lädt. Oder er wählt die legendäre Sechstage-Wandertour und geniesst die freie Sicht auf Bartgeier, Rothirsche, Steinböcke und das seltene Edelweiss. Biker allerdings müssen draussen bleiben. Doch daran stören sie sich überhaupt nicht. Denn rund um den Nationalpark verläuft eine der spektakulärsten Biketouren der Schweiz. Vier knochenharte Tagesetappen führen von Scuol aus über 140 Kilometer und mehr als 4000 Höhenmeter durch eine imposante Gebirgslandschaft – auf kniffligen Singletrails, die gespickt sind mit rasanten Abfahrten.

In the kingdom of the animals

Discover the undisturbed nature of the oldest National Park in the European Alps on a hike through the wild Cluozza Valley and spend a night in the wilderness in its log cabin at 1,882 m. Or tackle the park's legendary 6-day hiking tour and admire bearded vultures, red deer, ibex and the rare edelweiss along the way. Mountain biking is not allowed within the National Park, but even the keenest of bikers won't mind since one of Switzerland's most spectacular biking routes runs along the park boundaries. Starting at Scuol, four challenging day trips cover more than 140 km and climb more than 4,000 m through impressive mountain landscapes, on single-track trails with many challenging downhill sections.

Dans le royaume animal

Pour ceux qui aimeraient s'immerger dans la nature intacte du plus vieux Parc national de la zone alpine européenne: venez et profitez d'une randonnée dans le val Cluozza. Un refuge en bois vous y attend pour la nuit, à 1882 mètres d'altitude au beau milieu de cette contrée sauvage. Autre possibilité, le légendaire circuit de 6 jours: gypaètes barbus, cerfs, bouquetins et les très rares edelweiss seront au rendez-vous. Les adeptes du VTT n'y sont pas admis. Mais qu'à cela ne tienne car autour du Parc National, ils trouveront l'une des pistes cyclables les plus spectaculaires de Suisse. Quatre étapes d'effort qui commencent à la hauteur de Scuol et s'étendent sur plus de 140 km, avec 4000 mètres de dénivelé, à travers un imposant paysage montagneux. Attention ces «Singletrails» sont difficiles et truffés de descentes raides.

Regno animale

Chi vuole immergersi nella natura incontaminata del più antico Parco Nazionale alpino, può avventurarsi in val Cluozza con un trek. Qui, in piena natura selvaggia, pernotterà in una baita a 1882 m. Oppure può scegliere il mitico tour di sei giorni, tra gipeti, cervi, stambecchi e ormai rare stelle alpine. I biker restano all'esterno, ma vengono ampiamente ricompensati: intorno al Parco Nazionale si snoda uno degli itinerari ciclistici più spettacolari della Svizzera. Da Scuol, attraverso un imponente scenario montano, quattro durissime tappe giornaliere conducono lungo 140 chilometri, oltre 4000 metri di dislivello e su single-trail costellati da ardite discese.

Biker dürfen den Nationalpark nicht befahren – hier eine Gruppe im Val Mora, ausserhalb der Parkgrenzen.

Bikers in Val Mora, just outside the National Park – biking is not allowed inside the park.

Les cyclistes n'ont pas le droit de circuler dans le Parc National – ici un groupe au val Mora, en dehors des frontières du parc.

I ciclisti non hanno accesso al Parco Nazionale: ecco un gruppo di biker in Val Mora, fuori dai confini del parco.

Idylle pur: Thermalbad in Scuol, historischer Dorfkern von Guarda, Berghütte im Cluozza-Tal und Bikeroute um den Nationalpark.

Simply idyllic – thermal baths, Scuol; village centre, Guarda; mountain hut, Cluozza Valley; bike route around the National Park.

Les bains thermaux de Scuol, le cœur historique de Guarda, cabane dans le val Cluozza et des pistes cyclables autour du Parc National.

Puro idillio: le terme di Scuol, il nucleo storico di Guarda, un rifugio in val Cluozza e l'itinerario ciclistico intorno al Parco Nazionale.

Auf den Wanderwegen durch den ältesten Nationalpark Mitteleuropas ist der Himmel zum Greifen nah: Blick auf die Alp Buffalora (2392 m).

Hike in Central Europe's oldest National Park, way up on high – here on the Buffalora Alp (2,392 m).

Sur les chemins pédestres traversant le plus ancien Parc National d'Europe centrale; vue sur l'alpe Buffalora (2392 m).

Sui sentieri escursionistici del più antico Parco Nazionale dell'Europa centrale; scorcio sull'Alpe Buffalora (2392 m).

Im Val Mingèr bei Scuol wird die
Natur ganz sich selber überlassen.

Enjoy the undisturbed nature of
Val Mingèr near Scuol.

La nature est encore intacte dans
le val Mingèr près de Scuol.

In val Mingèr, presso Scuol,
la natura è davvero pura.

Eintreten lohnt sich: Das Nationalparkhaus Zernez informiert unter
anderem über die Naturlandschaft am
Ofenpass, das Wappentier Steinbock
und das legendäre Edelweiss.

Step inside the National Park Visitor
Centre in Zernez and discover fascinating information about the natural
landscapes of the Ofenpass, the
magnificent ibex and the legendary
edelweiss.

La Maison du Parc National à Zernez
mérite que l'on s'y arrête. Elle vous
informe sur le paysage naturel au col
Ofen, sur l'emblématique bouquetin
et sur la légendaire Edelweiss.

Vale la pena entrare! La Casa del
Parco, a Zernez, informa: per esempio
sulla natura del Passo del Forno,
lo stambecco – simbolo cantonale –
e la mitica stella alpina.

Musterhaft: Im Val Meuschauns
zeichnet die Natur prägnante
Strukturen in die Felswände.

Simply stunning – nature makes its
mark on the impressive rocky sides
of the Val Meuschauns.

Exemplaire: dans le val Meuschauns,
la nature a dessiné des structures
concises.

In val Meuschauns la natura ha
plasmato le pareti rocciose con
impressionanti formazioni.

Aletschgletscher

Aletsch Glacier · Glacier d'Aletsch · Ghiacciaio dell'Aletsch

Schneeweisse Ewigkeit

Dieser Strom elektrisiert: Mit 23 Kilometern ist der Aletschgletscher die längste und faszinierendste Eiswüste der Alpen, ein Eis gewordenes Gesamtkunstwerk. Mehr als 900 Meter tief und bis 1000 Meter breit windet er sich elegant vorbei an majestätischen Drei- und Viertausendern. Seine einmalige Ästhetik lässt sich gefahrlos auf einer geführten Wanderung erleben, etwa von der Bettmer- oder Riederalp aus. Schon die kürzeste Gletschertour vermittelt in zwei Stunden die ganze Faszination der Eiswelt. Freie Sicht auf das erste Unesco-Weltnaturerbe bietet aber auch die Wanderung durch den lichten Aletschwald, in dem die ältesten Arven der Schweiz wachsen. Und in der Villa Cassel auf der Riederfurka verraten spannende Ausstellungen viele weitere Geheimnisse der Natur.

Snow-white eternity

Simply awe-inspiring – at 23 km long, the mighty Aletsch Glacier is the longest and most fascinating river of ice in the Alps, and one of nature's true wonders. Over 900 m thick and up to 1,000 m wide, this mighty glacier winds its way between majestic 3,000 – 4,000 m high mountains. Discover its unique beauty on a guided walk from Bettmeralp or Riederalp – the short 2-hour tour will soon bring you closer to the fascinating world of ice, whilst the trail through the peaceful Aletsch Forest, home to Switzerland's oldest stone pines, provides great views of the UNESCO's first World Natural Heritage Site. Visit the fascinating exhibitions in the Villa Cassel on Riederalp to discover even more of nature's hidden secrets.

Blanche éternité

Ce fleuve déchaîne les passions: avec ses 23 kilomètres, le glacier d'Aletsch est le plus long et la plus fascinante «mer de glace» d'Europe qui est devenu un véritable chef-d'œuvre. Avec plus de 900 mètres de profondeur et 1000 mètres de large, il se dresse élégamment face aux majestueux 3000 et 4000. Son esthétique unique permet d'effectuer une randonnée accompagnée sans danger, à partir de Bettmeralp ou Riederalp. Le plus court circuit dure deux heures, qui suffisent à transmettre toute la fascination de cet univers de glace. Vue dégagée sur le premier site en Suisse classé patrimoine naturel mondial de l'UNESCO et randonnée à travers la forêt d'Aletsch avec les plus anciens arolles de Suisse. Les expositions variées de la Villa Cassel près de Riederalp livrent beaucoup d'autres secrets de la nature.

Immacolata eternità

Uno spettacolo elettrizzante: con i suoi 23 km il ghiacciaio dell'Aletsch è la più lunga e affascinante lingua glaciale delle Alpi, un'opera d'arte scolpita nel ghiaccio. Profondo più di 900 metri e largo fino a 1000, si snoda elegante tra maestosi tremila e quattromila. La sua singolare estetica può essere ammirata senza pericoli con un'escursione guidata, per esempio da Bettmeralp o Riederalp. Già una breve gita di un paio d'ore permette di avvertire l'enorme fascino di un universo candido. Ma per una vista panoramica sul Patrimonio naturale UNESCO basta anche una passeggiata attraverso il bosco dell'Aletsch, dove crescono i più antichi cembri svizzeri. E nella Villa Cassel, presso Riederalp, interessanti esposizioni svelano tanti altri segreti naturali.

Eiskaltes Naturschauspiel: der Grosse Aletschgletscher.

Ice-cold natural spectacle – the mighty Aletsch Glacier.

Jeu glacé de la nature: le grand glacier d'Aletsch.

Uno spettacolo che lascia... di ghiaccio: il grande ghiacciaio dell'Aletsch.

18

Vom leicht zugänglichen Aletsch-Grat herrscht freie Sicht auf die längste Eiswüste der Alpen mit den Fiescherhörnern (3906 m) im Hintergrund.

Easily accessed, the Aletsch ridge provides a stunning panoramic view of the Alp's largest ice flow, with the Fiescherhörner (3,906 m) in the background.

Depuis l'arête d'Aletsch accessible à tous, la vue plonge sur la plus vaste mer de glace des Alpes avec les Fiescherhörner (3906 m) en arrière-plan.

Dalla cresta dell'Aletsch, facile da raggiungere, lo sguardo spazia libero sulla più grande massa glaciale alpina con i Fiescherhörner (3906 m) sullo sfondo.

Ungeheuer mit Tiefgang: Unter kundiger Führung ist das Queren des Aletschgletschers ein unvergessliches Erlebnis.

A fantastic and unforgettable experience – a trip onto the Aletsch Glacier with an experienced guide.

Des profondeurs effarantes: traverser le glacier d'Aletsch sous l'escorte d'un expert est une expérience inoubliable.

Brividi gelati: la traversata del ghiacciaio dell'Aletsch con una guida esperta è un'avventura indimenticabile.

In jeder Jahreszeit einen Besuch wert: herbstlicher Blick vom Aletschwald auf die Eisspalten und Mittelmoränen.

Worth a visit no matter the time of year – view of the crevasses and central moraines from the Aletsch Forest in autumn.

Une visite pour chaque saison: vue depuis la forêt d'Aletsch en automne sur les crevasses et sur les moraines médianes.

Ogni stagione vale una visita: scorcio autunnale dal bosco dell'Aletsch su crepacci e morene del ghiacciaio.

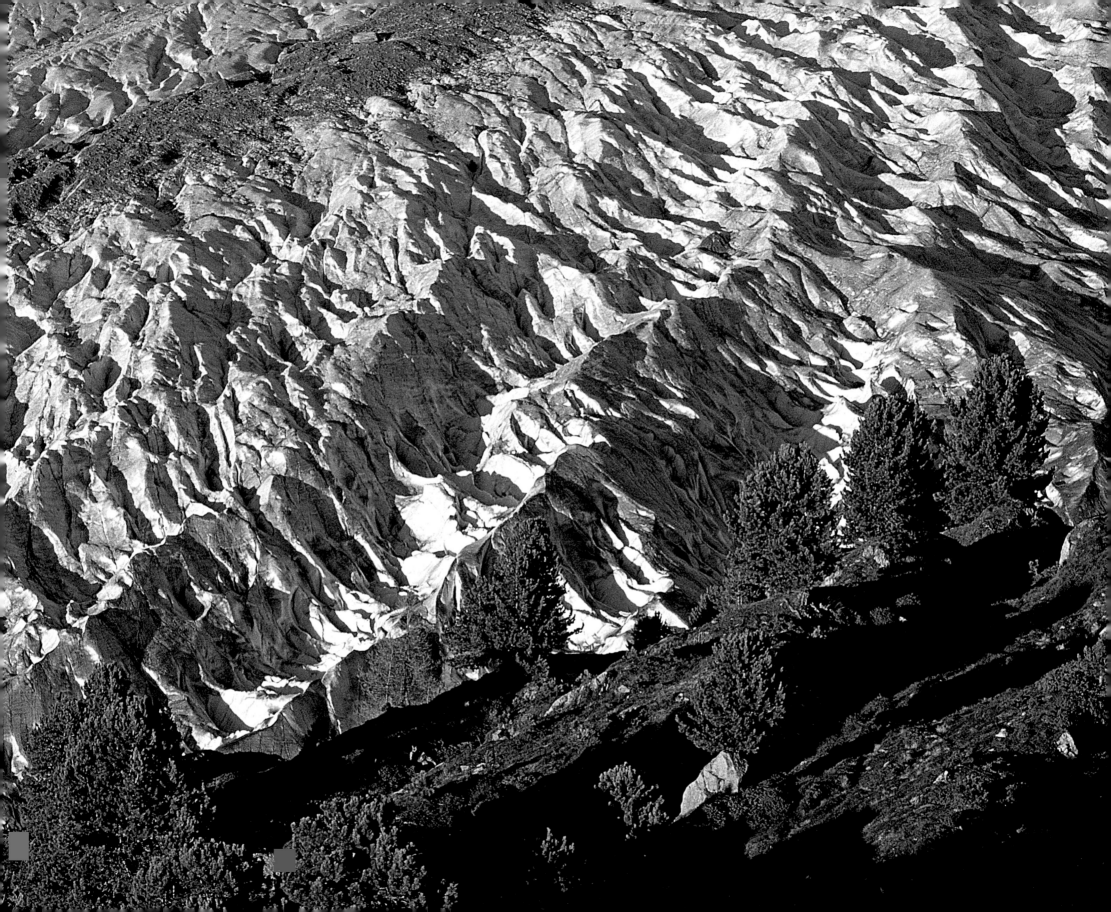

Ein poetisches Versprechen: Der
älteste Arvenwald der Schweiz zeigt
sich im Herbst besonders farbenfroh.

Poetically beautiful – Switzerland's
oldest stone-pine forest is particularly
colourful in autumn.

Une promesse poétique: la plus
ancienne forêt d'arolles de Suisse
révèle en automne ses vives couleurs.

Natura e poesia: in autunno il più
antico bosco di cembri della Svizzera
è una sinfonia di colori.

Gut einpacken muss sich, wer zum Canyoning in die Massaschlucht steigt.

Canyoners in the Massa Gorge must be well equipped.

Celui qui veut faire du canyoning dans les gorges de la Massa doit être bien équipé.

Per l'avventura-canyoning nella gola della Massa, occorre impacchettarsi per bene!

Malerischer Abgang zwischen Belalp und den gletschernahen Alpweiden.

Picturesque descent from Belalp to the alpine meadows close to the glacier.

Pittoresque descente entre Belalp et les pâturages alpins dans la région du glacier.

Pittoresca discesa tra Belalp e i pascoli di montagna.

Urnersee

Lake Uri · Lac d'Uri · Lago di Uri

Mit Volldampf durch die Geschichte

Wenn die «Uri» auf ihrer Reise von Luzern nach Flüelen bei Brunnen in den Urnersee dampft, legen selbst
die Passagiere im 1.-Klasse-Salon das Silberbesteck
zur Seite und lassen sich von der Vergangenheit ein-
holen: Gleich an der Ecke erinnert der Schillerstein
an den Schöpfer des Nationalepos Wilhelm Tell, in der
Ferne liegt die sagenumwobene Tellsplatte, und eini-
ge Radschläge weiter legt der Dampfer beim Rütli
an. Hier, am Geburtsort der alten Eidgenossenschaft,
beginnt der «Weg der Schweiz». Dieser (ver)führt
Wanderer an geschichtsträchtige Orte und idyllische
Badestrände und bietet auf 35 Kilometern rundum
beste Aussichten. Unter anderem auf die fünf Jugend-
stil-Raddampfer auf ihrem beschaulichen Weg durch
die Urschweizer Geschichte.

Full steam through history

When the steamer "Uri" paddles into Lake Uri at
Brunnen, on its way from Lucerne to Flüelen, even the
passengers in the 1st class lounge lay down their silver cutlery and succumb to history. Just around the
corner, the Schiller Stone pays tribute to the creator
of the national epic "William Tell", while in the dis-
tance lies the Tellsplatte area, rich in legend. A few
more turns of the paddles and the steamer arrives
at Rütli, the birthplace of the original Confederation
and the start of the "Swiss Path". Follow this trail
past places steeped in history and idyllic beaches,
along 35 km of wonderful views, not least of the five
Jugendstil steamboats peacefully travelling their way
through Swiss history.

A toute vapeur à travers l'histoire

Lorsque le bateau «Uri» lâche la vapeur sur le lac
d'Uri entre Lucerne et Flüelen, près de Brunnen,
même les voyageurs en salon première classe posent
leurs couverts en argent et se laissent emporter par
le passé: le rocher de Schiller remémore aux visiteurs
le souvenir du héros national, Guillaume Tell. Plus
loin se trouve «Tellsplatte» et ses légendes, et après
quelques tours de roues à aube, le bateau à vapeur
atteint la prairie du Grütli. C'est ici, sur le site où fut
fondée la Confédération helvétique, que commence
la «Voie Suisse». Ce chemin de 35 km emmène les
randonneurs vers des rivages idylliques et chargés
d'histoire. Ainsi, les cinq bateaux à vapeur, influencés
par l'art nouveau, naviguent, contemplatifs, à travers
l'histoire de la Suisse.

Attraverso la storia a tutto vapore

Quando nel suo tragitto da Lucerna a Flüelen il battello «Uri» lambisce Brunnen nel Lago di Uri, anche i
passeggeri di 1^a classe dimenticano le posate d'ar-
gento e si lasciano rapire dal passato: proprio dietro
l'angolo la lapide di Schiller celebra l'autore dell'epos
nazionale ispirato a Guglielmo Tell, in lontananza si
scorge la leggendaria Tellsplatte e, dopo pochi colpi
di pala, il piroscafo approda al Rütli. Qui, presso la
culla della Confederazione, ha inizio la «Via Svizzera», che si snoda tra luoghi ricchi di storia e idillia-
che spiaggette, regalando 35 chilometri di scorci spettacolari. Per esempio sui cinque piroscafi liberty, che
navigano leggeri attraverso l'antica storia elvetica.

Grandios: Blick vom Fronalpstock auf den Vierwaldstättersee und Brunnen.

Simply stunning – Lake
Lucerne and Brunnen from
the Fronalpstock.

Vue grandiose depuis le
Fronalpstock sur le lac des
Quatre-Cantons et sur Brunnen.

Una vista grandiosa: dal
Fronalpstock sul Lago dei
Quattro Cantoni e Brunnen.

Auf dem Dampfschiff «Unterwalden» (1902) begeistern sich Nostalgiker gleichermassen für den Salon wie den historischen Maschinenraum.

Aboard the "Unterwalden" steamboat (1902), the salon and the historical engine room will delight and fascinate its passengers alike.

Sur le bateau à vapeur «Unterwalden», les nostalgiques s'enthousiasment autant pour le salon que pour l'authentique salle des machines.

Il piroscafo a vapore «Unterwalden» (1902) entusiasma i nostalgici sia per il salone sia per la storica sala macchine.

Ein Schiff macht Dampf: Die «Uri» wurde 1901 gebaut und fährt noch heute elegant durchs Herz der Schweiz.

Full steam ahead – the "Uri" was built in 1901 and still carries passengers through the heart of Switzerland.

Un bateau s'active: l'«Uri» a été construit en 1901 et relie encore élégamment de nos jours le cœur de la Suisse.

Un battello... a tutto vapore: la «Uri» è stata costruita nel 1901 e ancora oggi solca elegante le acque elvetiche.

Hier wurde die Eidgenossenschaft besiegelt: die Rütli-Wiese über dem Vierwaldstättersee.

The Swiss Confederation was created here – the Rütli Meadow above Lake Lucerne.

Ici est née la Confédération: la prairie du Grütli au-dessus du lac des Quatre-Cantons.

La culla della Confederazione: il prato del Rütli domina il Lago dei Quattro Cantoni.

Nationalheld Wilhelm Tell auf dem Hauptplatz Altdorf und in der Tells-kapelle in Sisikon, wo gleich neben der Tellsplatte das Schiff anlegt.

William Tell, Switzerland's national hero, on Altdorf's main square and in the Tell Chapel in Sisikon, where the boats stop off directly next to the Tellsplatte.

Guillaume Tell, le héros national, sur la place principale d'Altdorf et dans la chapelle de Tell à Sisikon, où le bateau accoste à la «Tellsplatte».

L'eroe nazionale Guglielmo Tell sorveglia la piazza principale di Altdorf e l'omonima cappella di Sisikon, dove i battelli attraccano accanto alla Tellsplatte.

Geschichte zugänglich gemacht:
Das historische Versammlungshaus
zur Treib und der «Weg der Schweiz»
um den ganzen Urnersee.

History made accessible – the
historical Treib meeting house and
the "Swiss Path" around Lake Uri.

L'histoire à la portéz de pour tous:
la maison de la Diète (Haus zur
Treib) et la «Voie Suisse» autour
du lac d'Uri.

La storia alla portata di tutti:
la mitica Casa delle adunanze
«zur Treib» e la «Via Svizzera»,
che costeggia il Lago di Uri.

Von der Sonne wachgeküsst:
Berghaus auf dem Grossen Mythen
(1899 m) hoch über der Zentralschweiz.

Sun kissed awakening – mountain
hut on the Grosser Mythen (1,899 m),
high above central Switzerland

Réveillée par la caresse du soleil:
la cabane sur le «Grosser Mythen»
(1899m) surplombant la Suisse
centrale.

Baciato dal sole: il rifugio sul
Grosser Mythen (1899 m) svetta
sopra la Svizzera centrale.

Valle Verzasca

Verzascatal · Verzasca Valley · Val Verzasca

Am grünen Wasser

Dieses magisch helle Grün der Verzasca: Wie flüssige Jade sucht sich das Wasser seinen Weg durch die ausgewaschene Felslandschaft unter der malerischen Doppelbrücke in Lavertezzo hindurch und vorbei an steinernen Liegebetten, natürlichen Whirlpools und lauschigen Plätzchen zum Untertauchen. Wer eine Portion Adrenalin vorzieht, wird am Lago di Vogorno beim Taleingang fündig: Der «007-Bungy-Jump» entlang der Verzasca-Staumauer verspricht 220 Meter respektive 7,5 Sekunden freien Fall. Sowieso bietet die Umgebung von Locarno und Ascona schön viel Abwechslung: als Ausgleich zu den hochkarätigen Festivals etwa die stillen Wandertäler Centovalli und Val Onsernone. Oder im Dorf Fusio, zuhinterst im Maggiatal, die berühmte Rundkapelle von Mario Botta.

Cool green water

The magical jade green waters of the Verzasca river flow peacefully over smooth polished rocks under the picturesque twin arches of Lavertezzo's famous bridge, creating fascinating rock shapes, natural jacuzzis and secluded spots to while away time. Looking for more action? Then look no further than the ultimate adrenalin rush of the "007 Bungee Jump" – a freefall of 220 m and 7.5 seconds. And the areas around Locarno and Ascona provide a wide choice of activities and events – from star-studded festivals to the peace and quiet of hiking in the Centovalli and Onsernone Valleys. Or visit Mario Botta's famous round chapel in Fusio, right at the head of the Maggia Valley.

Au bord de l'eau verte

Magie verte de Verzasca: les eaux vert émeraude de la rivière serpentent à travers un paysage de falaises et se faufilent sous le bucolique pont double de Lavertezzo. Des piscines naturelles, des lits de pierres et des petits coins intimes jalonnent la rivière, accueillant les plongeurs. Les amateurs d'adrénaline ne manqueront pas le Lago di Vogorno, à l'entrée de la vallée. C'est ici, au barrage de Verzasca, que vous attend du haut de ses 220 mètres et avec ses 7,5 secondes de chute libre le «saut à l'élastique de 007»! Pour les autres, les environs de Locarno et d'Ascona offrent bien d'autres alternatives: en contraste avec les festivals prestigieux, les calmes vallées du Centovalli et d'Onsernone accueillent les randonneurs. La célèbre église ronde de Mario Botta vous attend également au fond de la «Vallemaggia».

Verdi acque...

Il verde chiaro della Verzasca è magico: come giada incandescente l'acqua si scava un passaggio attraverso le rocce levigate sotto il pittoresco doppio ponte di Lavertezzo, tra comodi letti di pietra, idromassaggi naturali e angoli ombreggiati dove rilassarsi. Chi insegue sfide più adrenaliniche, è atteso al Lago di Vogorno presso l'imbocco della valle: lo «007-Bungy-Jump» lungo la diga della Verzasca promette 220 m e 7,5 secondi di caduta libera. I dintorni di Locarno e Ascona offrono intrattenimento per tutti i gusti: dai festival di prim'ordine alle escursioni nelle pacifiche Centovalli e Vallemaggia. O nel paese di Fusio, in fondo alla Vallemaggia, per ammirare la cappella circolare di Mario Botta.

Schwungvoll wölbt sich die Brücke bei Lavertezzo über die Verzasca.

The elegant arches of the bridge across the Verzasca at Lavertezzo.

Le pont de Lavertezzo se courbe impétueusement sur la Verzasca.

Il ponte di Lavertezzo supera di slancio le acque della Verzasca.

James-Bond-Sprung von der
Verzasca-Staumauer und Spass im
grünen Nass in einem natürlichen
Whirlpool.

The James Bond jump from the
Verzasca dam and fun in the emerald
waters of a natural jacuzzi.

Le saut à l'élastique de James Bond
et tout le plaisir de se rafraîchir
dans une piscine naturelle.

Saltare come James Bond dalla
diga della Verzasca o divertirsi nel
verde con l'idromassaggio naturale.

Wie von Künstlerhand geschaffen:
wassergeschliffenes Bachbett und
Maserung im Gneisfelsen.

As if created by craftsmen, the
gneissrock river beds have been
shaped by moving water and reveal
fascinating patterns.

Comme créé par la main d'un artiste:
le lit du ruisseau poli par l'eau et
la veinure de la roche en gneiss.

Uno scultore invisibile ha levigato
il letto del fiume e decorato le rocce
di gneiss con arabeschi.

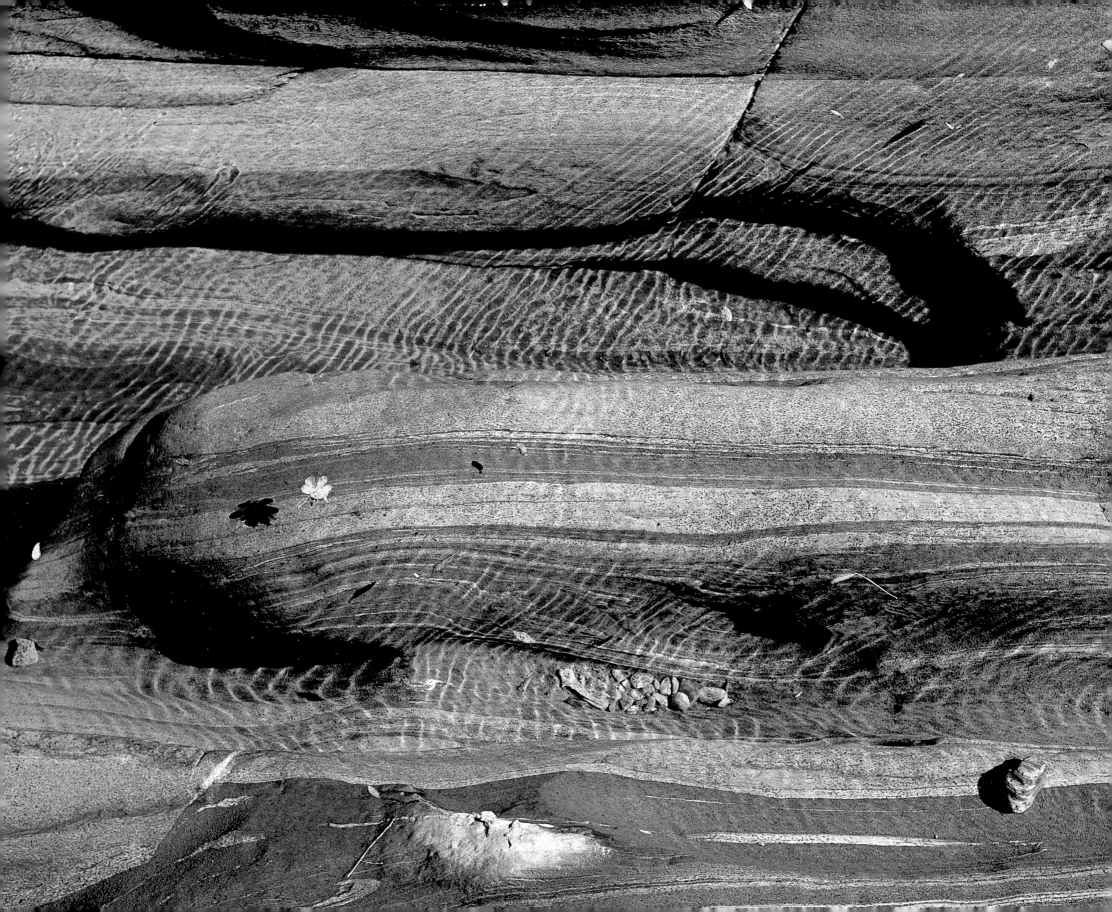

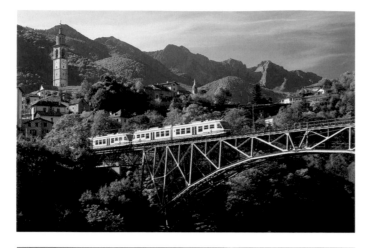

Südländisches Ambiente: Centovalli-bahn bei Intragna, Hafen von Ascona und Corippo im Verzascatal, eines der malerischsten Dörfer im Tessin.

Mediterranean touch: Centovalli Railway at Intragna, harbour in Ascona and Corippo in the Verzasca Valley, one of the Ticino's prettiest villages.

Ambiance du sud: le train du Cento-valli passant par Intragna, le port d'Ascona et Corippo dans la vallée de Verzasca, un des villages les plus pittoresques du Tessin.

Atmosfere mediterranee: la Ferrovia delle Centovalli a Intragna, il porto di Ascona e Corippo (Valle Verzasca), uno dei più bei borghi ticinesi.

Juwel zuhinterst im Maggiatal: die Kirche von Mogno (Fusio), ein Meister-werk des Architekten Mario Botta.

A jewel right at the head of the Maggia Valley – the church at Mogno (Fusio), a true masterpiece by the architect Mario Botta.

Un bijou au fond de la «Vallemaggia»: l'église de Mogno (Fusio), un chef-d'œuvre de l'architecte Mario Botta.

Un gioiello in fondo alla valle Maggia: la chiesa di Mogno (Fusio), capolavoro dell'architetto Mario Botta.

Glacier Express – Bernina Express

Die Schweiz in einem Zug

Siebeneinhalb Stunden dauert die einzigartige Zug- und Zeitreise im Glacier Express: vom berühmten Matterhorn in Zermatt über 291 Brücken und den 2033 Meter hohen Oberalppass, durch 91 Tunnels und sieben Täler nach St. Moritz. Wobei als Höhepunkt auf dem letzten Streckenabschnitt das kühn geschwungene Landwasserviadukt beeindruckt. Aber auch die Rhätische Bahn zwischen Chur und Tirano ist ein bahntechnisches Meisterwerk und besonders schön zu erfahren im Panoramawagen des Bernina Express: Im Ausflugstempo zuckelt die Bahn vorbei am gigantischen Morteratsch-Gletscher, über die Bernina (2253m), den höchsten Bahn-Alpenpass Europas, und in verwegenen Kehren wieder hinunter nach Poschiavo, wo die Reisenden von einer gehörigen Prise Italianità empfangen werden.

Switzerland all in one go

A unique rail journey through time – in just 7.5 hours, the Glacier Express will carry you across 291 bridges, over the 2,033 m high Oberalp Pass, and through 91 tunnels and 7 valleys on its way from the world-famous Matterhorn in Zermatt to St. Moritz. Whilst the stunningly curved Landwasser Viaduct is a real highlight, the whole journey between Chur and Tirano is a fantastic feat of engineering and particularly impressive when viewed from the panorama car of the Bernina Express. Pass the majestic Morteratsch Glacier at a leisurely speed and cross the Bernina Pass – at 2,253 m, Europe's highest alpine rail pass – before winding your way along daring twists and turns down into the Poschiavo Valley, where you will be greeted in true Italian style.

La Suisse en un seul voyage

L'irremplaçable Glacier Express met sept heures et demie pour rallier St-Moritz au célèbre Cervin à Zermatt, franchissant 291 ponts, le col de l'Oberalp à 2033 mètres, 91 tunnels et sept vallées. En guise de clou du spectacle, le viaduc de Landwasser impressionne par son élégant ondoiement le long du dernier tronçon. Le Chemin de fer rhétique entre Coire et Tirano est un chef-d'œuvre ferroviaire, particulièrement impressionnant en voiture panoramique. Cheminant à un rythme d'excursion, le Bernina Express passe devant le glacier de Morteratsch, franchit la Bernina (2253m), le plus haut col alpin desservi par chemin de fer, avant de redescendre en se tortillant jusqu'à Poschiavo, où les voyageurs seront accueillis à l'italienne.

La Svizzera in un solo treno

Sette ore e mezzo per un singolare viaggio nel tempo a bordo del Glacier Express: dai piedi del celebre Cervino a Zermatt, attraverso 291 ponti, oltre i 2033 metri dell'Oberalppass, per 91 tunnel e sette valli fino a St. Moritz. E se il clou dell'ultimo tratto è l'ardito viadotto di Landwasser, anche la Ferrovia retica tra Coira e Tirano si rivela un vero capolavoro di ingegneria, che si ammira ancora meglio dalle carrozze panoramiche: a una piacevole andatura da gita sfiora il maestoso ghiacciaio del Morteratsch, s'inerpica sul più alto passo ferroviario d'Europa (Bernina, 2253 m) per scendere poi dolcemente, dopo tornanti temerari, in val Poschiavo, dove i passeggeri sono accolti dal dovuto tocco di italianità.

Höhepunkt der Reise: das Landwasserviadukt bei Filisur.

Highlight of the journey – the Landwasser Viaduct at Filisur.

L'apogée du voyage: le viaduc de Landwasser près de Filisur.

Colpo di scena: il viadotto di Landwasser, presso Filisur.

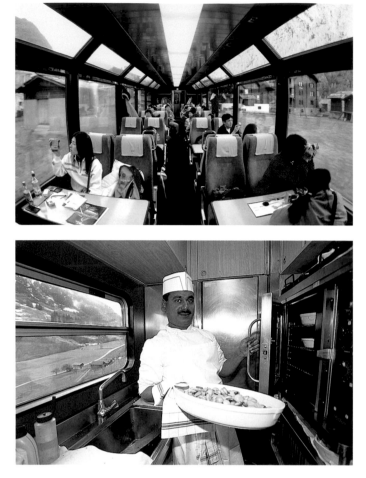

Im Glacier Express stimmen die Aussichten – auch auf kulinarische Überraschungen. Und in der Gornergratbahn jene aufs berühmte Matterhorn (4478 m).

Stunning views and fine cuisine – life is good aboard the Glacier Express. Admire the world-famous Matterhorn (4,478 m) from the Gornergrat Train.

Le Glacier Express offre tout à la fois: vues somptueuses et mets de choix. Le train du Gornergrat avec le Cervin (4478 m).

Sul Glacier Express tutto quadra: dai panorami alle sorprese gastronomiche. E la Ferrovia del Gornergrat dischiude il mito del Cervino (4478 m).

Der «langsamste Schnellzug der Welt» bewegt sich mit 45 Stundenkilometern über den 2033 Meter hohen Oberalppass.

The "slowest express in the world" crosses the Oberalp Pass (2,033 m) at a speed of 45 kph.

Le «plus lent train à grande vitesse du monde» roule à 45 kilomètres/heure et passe par le col de l'Oberalp à 2033 mètres d'altitude.

A 45 km/h. il «più lento rapido del mondo» valica i 2033 metri dell'Oberalppass.

Der Glacier Express durchquert bei Flims die Rheinschlucht, den «Grand Canyon» der Schweiz. Und schraubt sich zwischen Bergün und Preda in einem Labyrinth aus Kehren und Brücken zum Albulatunnel.

The Glacier Express travels through the "Swiss Grand Canyon" (Rhine Gorge) at Flims and winds its way upwards between Bergün and Preda in a labyrinth of curves and bridges towards the Albula Tunnel.

Le Glacier Express traverse à Flims les gorges du Rhin, appelées le «Grand Canyon» de Suisse. Et entre Bergün et Preda, il se tord dans un labyrinthe de virages et de ponts jusqu'au tunnel d'Albula.

Presso Flims il Glacier Express attraversa le gole del Reno, il «Grand Canyon» svizzero. Poi, tra Bergün e Preda, s'inerpica per un labirinto di curve e ponti fino al tunnel dell'Albula.

Im Herbst zeigt sich das Oberengadin – Ziel des Glacier Express –
von seiner schönsten Seite: Silsersee
mit Piz da la Margna (3159 m).

The final destination of the Glacier
Express – the Upper Engadine –
is at its most beautiful in the autumn.
Lake Sils with Piz da la Margna
(3,159 m).

La Haute Engadine – destination
finale du Glacier Express – se
découvre sous ses plus beaux atours
en automne: le lac de Sils avec le
Piz da la Margna (3159 m).

In autunno l'Alta Engadina – meta
del Glacier Express – mostra il suo
lato più bello: Lago di Sils e Piz da
la Margna (3159 m).

Der Bernina Express verbindet das mondäne St. Moritz mit dem ursprünglichen Poschiavo, folgt dem Lago Bianco und zuckelt über das Kreisviadukt von Brusio in den Süden.

Connecting cosmopolitan St. Moritz with the original charm of Poschiavo, the Bernina Express travels along Lago Bianco before winding its way south across the curving viaduct at Brusio.

Le Bernina Express relie le mondain St-Moritz avec le traditionnel Poschiavo, longe le Lago Bianco et tressaute sur le viaduc circulaire qui mène à Brusio vers le sud.

Il Bernina Express collega la mondana St. Moritz con la tipica Poschiavo, costeggia il Lago Bianco e a sud s'inerpica per il viadotto elicoidale di Brusio.

Unterwegs lohnt sich der Ausflug ins Berggebiet der Diavolezza, aus dem der Piz Bernina ragt, mit 4049 Metern der höchste Berg der Ostalpen.

Highly recommended – a trip to the mountains of the Diavolezza, where Piz Bernina – at 4,049 m the highest peak in the Eastern Alps – soars up into the sky.

Une excursion dans la région montagneuse de la Diavolezza vaut le détour. Le Piz Bernina (4049 m) est la plus haute montagne des Alpes orientales.

Da non perdere l'escursione nell'area montana del Diavolezza dominata dal Piz Bernina (4049 m), la cima più alta delle Alpi orientali.

Ein Berg sieht rot: der legendäre
Piz Palü (3901 m) in der Abend-
dämmerung.

Bathed in red – sunset over the
legendary Piz Palü (3,901 m).

Une montagne s'enflamme:
le légendaire Piz Palü (3901 m)
en plein coucher du soleil.

Il rosso dona alle cime: il mitico
Piz Palü (3901 m) al crepuscolo.

Lac Léman

Genfersee · Lake Geneva · Lago Lemano

Himmel auf Erden

«This must be Heaven», sang Freddie Mercury, «dies muss das Paradies sein!» Wer im Sonnenuntergang neben Mercurys Statue an der Promenade von Montreux steht, kann ihm nachfühlen. Im Rücken die charmante Altstadt, blickt man über den «brennenden» See, ein Kaleidoskop aus Rot- und Gelbtönen, bis zum berühmten Schloss Chillon, das seinen Besuchern eine über 1000-jährige Geschichte erzählt. Wer höher hinaus will, nimmt die steile Zahnradbahn zu einem ganz anderen Schloss, den Rochers-de-Naye mit dem Panoramarestaurant mitten in der Felswand. Und wer etwas Zeit mitbringt, macht eine Velotour durch das angrenzende Lavaux. Mit 800 Hektaren Rebfläche bilden die Hänge mit ihren hübschen Dörfern das grösste zusammenhängende Weinbaugebiet der Schweiz.

Heaven on earth

"This must be Heaven", sang Freddie Mercury. Watch the sun set from the promenade where Mercury's statue stands, and you will immediately know why. Behind you the charming old town, in front a lake on fire – a true vision of reds and yellows right round to the famous Château de Chillon with over 1,000 years of history. Do you want to go higher? Then take the steep cog-wheel railway to the stark contrast of the Rochers-de-Naye château with its panorama restaurant hewn into the rock face. Looking to while away some time? Then try a bike ride through the nearby area of Lavaux – with 800 hectares of vineyards, gentle slopes and picturesque villages, this is Switzerland's largest wine-producing area.

Les cieux sur la terre

«This must be Heaven», chantait Freddie Mercury, «Ce doit être le Paradis!» Faites une halte sur la promenade de Montreux devant la statue de Mercury lors du coucher du soleil et vous en serez convaincu. Le dos tourné à la pittoresque vieille ville, on observe au-dessus du lac «en feu» un kaléidoscope de tons rouges et jaunes s'étalant jusqu'au légendaire château de Chillon, qui nous raconte plus de 1000 ans d'histoire. Ceux qui souhaitent aller plus haut emprunteront le chemin de fer à crémaillère jusqu'à un autre paradis, les Rochers-de-Naye, et son restaurant panoramique logé à même la falaise. Ceux qui disposent de plus de temps feront un tour à vélo dans le Lavaux limitrophe. Avec ses 800 hectares de vigne, ses terrasses et ses charmants villages, ils forment ensemble la plus grande région viticole de Suisse.

Il cielo in terra

«This must be Heaven», cantava Freddie Mercury, «questo dev'essere il paradiso!» Chi al tramonto si trovasse vicino alla statua di Mercury sulla Promenade di Montreux, potrebbe capirlo. Alle spalle dell'affascinante nucleo storico si ammira il lago «in fiamme», un caleidoscopio di rossi e gialli con sullo sfondo il castello di Chillon, che ai suoi visitatori racconta 1000 anni di storia. Chi aspira a quote più elevate e a un altro tipo di castello, s'inerpica con la cremagliera fino ai Rochers-de-Naye con ristorante panoramico nella roccia. E a chi rimane un po' di tempo, si consiglia una gita in bici nel confinante Lavaux: con 800 ettari di vigneti su pendii cosparsi di graziosi villaggi, la regione costituisce la più grande area vitivinicola della Svizzera.

Wie im Märchen: Schloss Chillon, Genfersee und die Dents du Midi.

Just as in a fairytale – the Château de Chillon on Lake Geneva and the Dents du Midi.

Comme dans les contes: le château de Chillon, le lac Léman et les Dents du Midi.

Come in una fiaba: castello di Chillon, Lago Lemano e Dents du Midi.

In Montreux hat die Belle Époque ihre Spuren hinterlassen – an Land und auf dem Wasser.

The Belle Époque has left its mark in Montreux – both on land and on the water.

La Belle Époque a laissé des traces à Montreux – sur la terre comme sur l'eau.

Montreux conserva tracce della Belle Époque: a terra come sull'acqua.

Die Kursschiffe auf dem Genfersee bringen ihre Passagiere bis über die Landesgrenze.

The boats of Lake Geneva even carry their passengers into France and back.

Les bateaux du Léman mènent leurs passagers d'un pays à l'autre.

I battelli che solcano il Lago Lemano portano i loro passeggeri anche oltre confine.

Das Schloss Chillon blickt auf eine über 1000-jährige Geschichte zurück, während die Weinküste des Lavaux für eine vielversprechende Zukunft steht.

The Château de Chillon dates back more than a 1,000 years, whilst the vineyards of Lavaux look eagerly towards the future.

Le château de Chillon donne une vision rétrospective de plus de 1000 ans d'histoire, alors que la côte viticole du Lavaux offre un futur prometteur.

Se il castello di Chillon vanta 1000 anni di storia, i vigneti del Lavaux guardano a un promettente futuro.

An den Steilhängen zwischen Vevey und Lausanne reifen beste Trauben: Das Lavaux ist das grösste zusammenhängende Weinbaugebiet der Schweiz.

The best grapes ripen on the steep slopes between Vevey and Lausanne – the Lavaux is Switzerland's largest connected wine producing area.

Les meilleurs raisins mûrissent sur les pentes entre Vevey et Lausanne: le Lavaux est la plus grande région viticole accolée de Suisse.

Lungo i ripidi pendii tra Vevey e Losanna maturano i grappoli migliori. Il Lavaux è la più grande area viti-vinicola della Svizzera.

Dank malerischen Rebwegen und hübschen kleinen Winzerdörfern bietet sich die Gegend auch für genussvolle Velotouren und Wanderungen an.

The picturesque vineyard paths and pretty little villages make the area a great destination for wonderful bike rides and walks.

La région est également très propice pour faire du vélo ou des randonnées grâce à ses vignobles pittoresques et à ses petits villages viticoles.

Con le pittoresche strade tra i vigneti e i graziosi villaggi dei viticoltori, la regione si presta a piacevoli gite in bici ed escursioni.

Gruyères

Schlemmertour vom Feinsten

Die Versuchung ist gross, bereits auf halbem Weg zum Schloss einzukehren: Im pittoresken Städtchen Gruyères reiht sich ein Restaurant ans andere. Und die lokalen Leckereien wie die «Mûres à la crème» (Brombeeren mit Sahne) weisen mindestens denselben Delikatessenfaktor auf wie der berühmte Käse. Dieser wird seit Menschengedenken und nach strengem Rezept in den kleinen Dorfkäsereien hergestellt – genossen wird er aber weltweit und zu jeder Gelegenheit. Das mächtige Schloss Gruyères ist ebenso einen Besuch wert wie das Schloss Saint-Germain, wo die Original-Aliens von Oscar-Preisträger H.R. Giger warten. Auf dem Rückweg hat man sie dann wieder, die Qual der Wahl an bodenständigen Gaststätten, auf deren Karten einer nicht fehlen darf: der Gruyère.

Simply mouth-watering

Can you reach the castle in the picturesque village of Gruyères without succumbing to the temptation of the wonderful restaurants along the way? It's not easy! Try fine local delicacies such as "mûres à la crème" (blackberries with cream) – wonderfully simple and just as tasty as the region's famous cheese. Produced since time immemorial and sticking religiously to the traditional recipe, Gruyère cheese is produced locally yet enjoyed the world over. A visit to the imposing castle of Gruyères – home to the Oscar award-winning H.R. Giger's original aliens – should not be missed. Returning through the village, you will be spoilt for choice by the many restaurants where one thing is sure to be on the menu – Gruyère cheese.

Balade gourmande

La tentation est déjà grande à mi-chemin du château de faire un détour: dans la pittoresque cité de Gruyères les restaurants sont légion. Les spécialités régionales, telles que les mûres à la crème, se disputent les faveurs des gastronomes, à l'image de ses succulents fromages. Le célèbre gruyère est fabriqué depuis la nuit des temps dans des petites fromageries selon un procédé rigoureux. A déguster dans le monde entier et en toute occasion. L'imposant château de Gruyères vaut vraiment le détour tout comme le château Saint-Germain, où les authentiques «Aliens» de H.R. Giger, qui a obtenu un Oscar pour son travail, séjournent. Le chemin du retour est parsemé d'accueillantes auberges, dont la carte propose d'inégalables recettes au fromage régional.

Uno squisito tour per golosi

La tentazione di una sosta culinaria ancor prima di arrivare al castello è grande: nella pittoresca cittadina di Gruyères i ristoranti fanno a gara. E le prelibatezze locali come «mûres à la crème» (more e panna) quanto a bontà possono competere con il celebre formaggio. La celebrità locale si produce dall'alba dei tempi secondo una rigorosa ricetta nei piccoli caseifici della zona. Ma ormai si può gustare ovunque nel mondo, e in ogni occasione. L'imponente castello di Gruyères val bene una visita, come pure il castello di Saint-Germain che ospita gli «Alien» originali del premio Oscar H.R. Giger. Sulla via del ritorno non c'è che l'imbarazzo della scelta tra le tante osterie tipiche; protagonista assoluto dei menù: il Gruyère.

Ganz schön dramatisch: Schloss Gruyères vor dem Moléson.

Incredibly dramatic – Gruyères castle with the Moléson in the background.

Superbe, le château de Gruyères avec le Moléson en toile de fond!

Suggestivo scorcio su castello di Gruyères e Moléson.

Ein Käse erobert die Welt: Der Gruyère ist eine Delikatesse und schmeckt auch geschmolzen als Fondue vorzüglich.

A cheese conquers the world! Gruyère cheese is a true delicacy – also melted for a tasty fondue.

Un fromage à la conquête du monde: le Gruyère est un plat raffiné, tout aussi exquis transformé en fondue.

Un formaggio alla conquista del mondo: il Gruyère è una delizia. Anche fuso per una fondue.

Das spätmittelalterliche Städtchen verströmt nicht nur Charme. Es geniesst auch das Image einer Schlemmerhochburg.

Dating back to the late Middle Ages, the charming village of Gruyères is also a mecca for those with a discerning palate.

La petite ville exhale un incomparable charme et régale les plus fins gourmets.

La cittadella tardomedievale non vive solo del suo fascino: vanta infatti la fama di roccaforte del gusto.

Freiberge – Jura

Franches-Montagnes – Jura · Franches-Montagnes – Giura

Wildes weites Weideland

Die stolze, halbwilde Pferderasse der Freiberger passt gut zum freiheitsliebenden Charakter der Jurassier. Darum geniessen die Tiere auch ganz besondere Privilegien und werden auf wunderbar offenen Feldern gehalten, die nur von charmanten Steinmäuerchen begrenzt sind. Ihnen entlang verlaufen zahlreiche idyllische Wander- und Velowege. Beispielsweise die nationale Velolandroute 7, die über 275 Kilometer von Basel nach Nyon und mitten durch die idyllischen Freiberge führt. Sie ist – speziell auf diesem Abschnitt – besonders beliebt bei Velo fahrenden Familien (Mietvelos gibts an jedem Bahnhof). Übrigens: Selbst wer mit dem «Drahtesel» unterwegs ist, kann sein Nachtlager mit den Pferden teilen – Schlafen im Stroh ist im Jura weit verbreitet.

Pastureland as far as the eye can see

The proud, half-wild horses of the Franches-Montagnes region reflect the spirit of the freedom-loving people of the Jura. Which is why the horses enjoy many privileges and graze in freedom on lush pastures bordered only by attractive stone walls and picturesque hiking and cycling trails. For example, the national "Veloland" route 7, which covers over 275 km between Basel and Nyon, passing right through the middle of the idyllic Freiberge region – a route which is, particularly on this stretch, extremely suited to families (bikes can be rented at all railway stations). Furthermore, you don't have to ride a horse to spend the night with one – bikers and riders alike can sleep on straw in a barn on one of the region's many farms.

Vastes pâturages

La race fière et à demi sauvage des chevaux des Franches-Montagnes est bien adaptée au caractère des Jurassiens, amoureux de liberté. C'est pourquoi les animaux jouissent de vrais privilèges et sont retenus dans des champs agréablement ouverts, que seuls des murets de pierre délimitent. C'est le long de ceux-ci que passent les pistes pédestres et cyclables. La piste cyclable nationale n° 7, par exemple, qui traverse les Franches-Montagnes, s'étend sur plus de 275 kilomètres, reliant Bâle à Nyon. Ce tronçon est particulièrement apprécié pour le vélo en famille (location de vélos possible à chaque gare). De plus, même ceux qui sont en route à vélo peuvent passer la nuit avec des chevaux. Dormir sur la paille est très populaire dans le Jura.

Pascoli selvaggi

L'orgogliosa razza equina dei Franches-Montagnes rispecchia il carattere della gente del Giura, amante della libertà. E liberi vengono lasciati anche i cavalli, che qui godono di grandi privilegi: su ampie distese, delimitate solo da graziosi muretti di pietra. Li costeggiano numerosi e idillici percorsi per trekker e ciclisti; come l'itinerario ciclistico nazionale n° 7, che si estende per oltre 275 chilometri da Basilea a Nyon, passando proprio in mezzo alle belle Franches Montagnes. Questo tratto è molto frequentato anche da famiglie in bici (noleggiabili in ogni stazione). Da non dimenticare: anche chi viaggia in sella a una bici, può condividere il pernottamento con i cavalli. Dormire sulla paglia nel Giura è usanza diffusa.

Sagenhaft: das Moorgebiet Étang de la Gruère bei Saignelégier.

Legendary – the Étang de la Gruère moorlands at Saignelégier.

Légendaire: la région marécageuse de l'étang de la Gruère près de Saignelégier.

Un mito: le torbiere dell'Étang de la Gruère, presso Saignelégier.

Nicht nur die Pferde, auch die Menschen geniessen in den Freibergen
ein Quäntchen mehr Freiheiten:
Mittagspause am Lac des Taillères
bei La Brévine.

Both horses and people enjoy the
freedom of the Franches-Montagnes –
lunchtime at the Lac des Taillères
near La Brévine.

Les Franches-Montagnes offrent un
surcroît de liberté aux chevaux – et
aux hommes aussi: pause de midi au
lac des Taillères près de la Brévine.

Nelle Franches-Montagnes non sono
solo i cavalli a godere di una speciale
libertà: pausa pranzo al Lac des
Taillères presso La Brévine.

Mit der spätromanischen Stiftskirche, den schmucken Häusern und der alten Steinbrücke gilt St-Ursanne am Doubs als «Perle des Jura».

St. Ursanne on the Doubs is known as the "Pearl of the Jura" because of its late-roman collegiate church, beautiful houses and its old stone bridge.

St-Ursanne passe pour la «Perle du Jura» avec son église collégiale romane, ses petites maisons décorées et son vieux pont en pierre.

Con la collegiata tardoromanica, le belle case e l'antico ponte di pietra, St-Ursanne – sul Doubs – merita il titolo di «Perla del Giura».

Verträumtes Grenzgebiet: lichter
Wald am Mont Tramelan, das
Ufer des Doubs, der Wasserfall
am Saut-du-Doubs.

Dreamy border country: dappled
woodlands on Mont Tramelan,
the banks of the Doubs and the
Saut-du-Doubs waterfall.

Zone frontalière d'une contrée
éloignée: la forêt clairsemée au
Mont Tramelan, la berge du Doubs,
le Saut-du-Doubs.

Atmosfere trasognate al confine:
il bosco rado del Mont Tramelan,
le rive del Doubs, la cascata di Saut-
du-Doubs.

Ab Les Brenets verkehren regel-
mässig Ausflugsschiffe auf dem
felsengesäumten lac des Brenets
bis zum Saut-du-Doubs.

Excursion boats travel regularly
along the steep-sided Lac des
Brenets from Les Brenets to the
Saut-du-Doubs.

Des bateaux excursionnistes
naviguent régulièrement jusqu'au
Saut-du-Doubs sur le lac des Brenets,
entouré de son cirque rocheux.

Da Les Brenets partono regolar-
mente battelli che, tra rocce impervie,
navigano sul lac de Brenets fino al
Saut-du-Doubs.

Jungfraujoch

Top of Europe

Das Bähnlein fährt mitten durch den Berg, eine Orientierung ist kaum möglich. Doch dann hält es an, man erblickt durch Felsluken die Eigernordwand, später das Eismeer. Und dann steht man oben. Unzählige Gipfel verneigen sich vor Eiger, Mönch und Jungfrau, Bergdohlen jagen ins Berner Oberland hinunter, und auf der anderen Seite ergiesst sich der Aletschgletscher träge ins Wallis: Die Aussicht und die dünne Luft auf 3454 Metern rauben einem den Atem. Kein Wunder, ist das Jungfraujoch das berühmteste Ausflugsziel der Schweiz. Auf dem Rückweg lohnt sich der Aufenthalt in Lauterbrunnen: Von hier aus erreicht man die höchsten Wasserfälle Europas, den 007-Piz Gloria (Schilthorn) und das herrlich abgeschiedene Wandergebiet im Hinteren Lauterbrunnental.

Top of Europe

Lose all sense of direction as the little train travels into the mountain before suddenly stopping at the viewing holes looking straight onto the North Face of the Eiger, and further on across the sea of ice. Once at the top, gaze out at the rows of mountain peaks all bowing to the majestic Eiger, Mönch and Jungfrau. Alpine choughs dive down into the valleys of the Bernese Oberland, whilst on the other side, the Aletsch Glacier flows lazily towards Canton Valais. At 3,454 m, the views and thin air take your breath away – it's hardly surprising that the Jungfraujoch is Switzerland's most famous day out. On the way down, stop off in Lauterbrunnen, starting point for trips to Europe's highest waterfalls, the Schilthorn's "007 Piz Gloria" and to the wonderfully secluded hiking area in the upper Lauterbrunnen Valley.

Top of Europe

Le train file au cœur de la montagne. Difficile de s'orienter. Puis il s'arrête, vous laissant admirer par une fenêtre la face nord de l'Eiger, puis la Mer-de-Glace.
Et on se retrouve en haut. Une multitude de sommets s'inclinent devant l'Eiger, le Mönch et la Jungfrau, les choucas chassent alentour et de l'autre côté, le glacier d'Aletsch se déverse dans le Valais. Le panorama et l'air raréfié à 3454 mètres d'altitude contribuent à vous couper le souffle. Aucun doute, le Jungfraujoch est l'excursion la plus connue de Suisse. Sur le chemin du retour, un séjour à Lauterbrunnen vaut la peine: d'ici, on peut atteindre les chutes d'eau les plus hautes d'Europe, le Piz Gloria de 007 (au Schilthorn) ainsi qu'un charmant domaine vierge, propice à la randonnée, au fond de la vallée Lauterbrunnen.

Top of Europe

Il trenino passa attraverso la montagna ed è facile perdere l'orientamento. Ma quando si arresta, tra le fessure della roccia è possibile ammirare la parete nord dell'Eiger e, più avanti, il mare di ghiaccio. E di colpo si è in vetta. Infinite cime s'inchinano dinanzi a Eiger, Mönch e Jungfrau, gracchi alpini scendono in picchiata verso l'Oberland Bernese e sull'altro versante il ghiacciaio dell'Aletsch si riversa pigro sul Vallese: la vista nell'aria rarefatta dei 3454 metri è davvero mozzafiato! Non stupisce dunque che la Jungfraujoch sia la più famosa meta di escursioni della Svizzera. Al ritorno si consiglia una sosta a Lauterbrunnen: da qui si raggiungono le più alte cascate d'Europa, il Piz Gloria di 007 (Schilthorn) come pure l'isolata e magnifica zona escursionistica del Lauterbrunnental posteriore.

Atemberaubend: Observatorium auf dem Jungfraujoch (3571 m) und der Aletschgletscher.

Simply breathtaking – the observatory on the Jungfraujoch (3,571 m) and the Aletsch Glacier.

A couper le souffle: l'observatoire sur le Jungfraujoch (3571 m) et le glacier d'Aletsch.

Mozzafiato: l'osservatorio sulla Jungfraujoch (3571 m) e il ghiacciaio dell'Aletsch.

Eindrückliche Einblicke: Vor dem Fenster ruht das Eismeer, im Bauch des Jungfraujoch begeistern Eisskulpturen. Und draussen trägt die Jungfrau Abendgarderobe.

Spectacular views: a sea of ice through the window, ice sculptures in the heart of the Jungfraujoch, and outside, the Jungfrau in her evening attire.

Vue impressionnante: devant la fenêtre repose une mer de glace, des sculptures de glace enchantent les visiteurs. Et au-dehors, la Jungfrau porte sa robe de soirée.

Scorci suggestivi: davanti agli occhi riposa il mare di ghiaccio, nel ventre della Jungfraujoch entusiasmano le criosculture. E intanto la Jungfrau si tinge di rosso.

Das Eismeer ist von archaischer Schönheit. Darum hat die Jungfraubahn eigens eine Station in den Berg gebaut – mit grossen Fenstern für den optimalen Blick auf die Urlandschaft aus Fels und Eis.

This stunning sea of ice has a primeval beauty, which is why the Jungfrau Railway built a station deep in the mountain – with large windows to provide wonderful views across the wild landscape of rock and ice.

La mer de glace est d'une telle beauté archaïque que les Chemins de fer de la Jungfrau ont construit leur propre station dans la montagne – avec de grandes fenêtres pour une vue optimale sur le paysage sauvage composé de roche et de glace.

La lingua glaciale ha una bellezza arcaica e, per ammirarla meglio, la Ferrovia della Jungfrau ha costruito una stazione nella montagna con grandi finestre sull'universo di pietra e ghiaccio.

Seit 1893 bietet die Schynige Platte-
Bahn Erstklass-Aussicht auf Eiger,
Mönch und Jungfrau (Bild links).
Zu deren Füssen und gleich neben
der berüchtigten Eigernordwand liegt
die Kleine Scheidegg (2061 m). Auf
dem Alpenbahnhof muss umsteigen,
wer aufs Jungfraujoch will.

The Schynige Platte Railway has
been providing first-class views of the
Eiger, Mönch and Jungfrau (picture
on the left) since 1893. At the foot of
these mountains and just below the
notorious North Wall of the Eiger
lies the Kleine Scheidegg (2,061 m),
starting point for trains to the
Jungfraujoch.

Depuis 1893 le train de la Schynige
Platte offre une vue de première
classe sur l'Eiger, le Mönch et la
Jungfrau (image de gauche).
La Kleine Scheidegg (2061 m) se
trouve juste à côté de la célèbre
paroi nord de l'Eiger. Pour se rendre
au Jungfraujoch, on y change
de train.

Dal 1893 la Ferrovia della Schynige
Platte offre una vista esclusiva su
Eiger, Mönch e Jungfrau (a sinistra).
Ai loro piedi e proprio accanto alla
temibile parete nord dell'Eiger,
ecco la Kleine Scheidegg (2061 m).
Chi è diretto alla Jungfraujoch,
cambia alla stazione alpina.

Spiegelglatt verdoppelt der Bachsee
das Panorama mit Wetterhorn (links),
Schreckhorn (Mitte), Finsteraarhorn
und den beiden Fiescherhörnern.

The Bachsee provides a perfect
reflection of the Wetterhorn (left),
the Schreckhorn (centre), the Finsteraarhorn and the two peaks of the
Fiescherhorn.

Le lac de montagne, poli comme un
miroir, double le panorama avec
à gauche le Wetterhorn, au milieu
le Schreckhorn, le Finsteraarhorn
et les deux Fiescherhörner à droite.

Lo specchio piatto del Bachsee
raddoppia il panorama: Wetterhorn
(a sinistra), Schreckhorn (in mezzo),
Finsteraarhorn e i due Fiescherhörner.

Action im Lauterbrunnental: Trüm-
melbachfälle im Bergesinnern,
007-Piz Gloria und Schilthorngondel
vor dem Mürrenbachfall.

Action in the Lauterbrunnen Valley –
the Trümmelbach Falls inside the
mountain, the 007 Piz Gloria, and
the Schilthorn cable car in front of
the Mürrenbachfall.

De l'action dans la vallée de Lauterbrunnen: les chutes de Trümmelbach,
le Piz Gloria de 007 et la télécabine
du Schilthorn devant les cascades
du Mürrenbach.

Lauterbrunnental dinamico: cascate
del Trümmelbach, Piz-Gloria di 007
e funivia dello Schilthorn davanti alle
cascate del Mürrenbach.

Der Staubbachfall bei Lauterbrunnen
hat schon Goethe zum Dichten ani-
miert: Dekorativ stiebt das Wasser
im freien Fall 300 Meter in die Tiefe.

Plunging 300 m down into the valley
in a cloud of spray, the Staubbach
Falls at Lauterbrunnen even inspired
Goethe to poetry.

Les cascades du Staubbach ont
déjà inspiré les poèmes de Goethe:
l'eau jaillit esthétiquement en
chute libre dans des profondeurs
de 300 mètres.

Le cascate dello Staubbach, presso
Lauterbrunnen, ispirarono già Goethe
con i loro suggestivi 300 metri di
caduta libera.

Ebenalp – Appenzell

Ebenalp – Appenzello

Im siebten Himmel

Wer aus der Höhle ins Freie tritt, landet beim Wild-kirchli im siebten Himmel: Die winzige Kapelle krallt sich am Felsen fest, der Gasthof Aescher lädt auf die verwitterte Terrasse. Alles Weitere ist Panorama – eines der dramatischsten und schönsten der Schweiz. Und ein schnell erreichtes Ziel: Per Gondel gehts ab Wasserauen auf die Ebenalp (1644 m) und in bloss 15 Minuten zu Fuss durch eine liebliche Landschaft und die Höhlen zum Wildkirchli. Einfache bis an-spruchsvolle Wanderungen führen hinunter ins Tal, etwa zum malerischen Seealpsee. Oder noch weiter in die Höhe. Wie die einstündige Route über die Alp Chlus zum Gipfelrestaurant Schäfler, wo die Aussicht weit übers romantisch-hügelige Appenzellerland hin-aus bis ins Mittelland reicht.

In seventh heaven

Step out of the last rock tunnel into paradise – the tiny "Wildkirchli" Chapel clinging to the rocks and the weathered terrace of the Gasthof Aescher – perfect for whiling away time! Take a moment to admire one of Switzerland's most dramatic and beautiful panor-amas – and all so easily reached! Take the cable car from Wasserauen up to the Ebenalp (1,644 m) and walk up through the beautiful countryside and two tunnels to "Wildkirchli" in only 15 minutes. Walk back down to the valley along one of the routes ranging from simple to challenging – maybe via the pictur-esque Lake Seealp. Would you like to go higher? Then follow the 1-hour trail via Alp Chlus to the Schäfler summit restaurant and take in views from the romantically hilly Appenzellerland right across to the Swiss Mittelland.

Au septième ciel

Quiconque arrive au «Wildkirchli» se sent comme transporté au septième ciel: une petite chapelle agrippée à la falaise et l'auberge d'Aescher qui invite à profiter de sa terrasse. La suite n'est plus que pa-norama, l'un des plus impressionnants et des plus beaux de Suisse. «Wildkirchli» est facile à atteindre en télécabine de Wasserauen à Ebenalp (1644 m) puis en 15 minutes de marche à travers un paysage char-mant et deux grottes. Des randonnées faciles ou plus exigeantes descendent dans la vallée, par exemple jusqu'au bucolique lac Seealp. Si vous visez les hau-teurs, le circuit d'une heure à travers l'Alp Chlus jusqu'au restaurant Schäfler vous offrira une vue splendide sur la région vallonnée et romantique d'Appenzell et jusqu'au Mittelland.

Al settimo cielo

Chi torna a vedere la luce dopo l'ultima grotta, presso la «Wildkirchli» si sentirà … al settimo cielo: la minu-scola cappella è abbarbicata nella roccia, la vicina locanda Aescher sfoggia una terrazza erosa dal tem-po. Tutto il resto è panorama: uno dei più drammatici e belli della Svizzera. Una meta che si raggiunge facilmente: in cabinovia da Wasserauen alla Ebenalp (1644 m), poi 15 minuti a piedi, attraverso un paesag-gio ameno e due grotte, ed ecco la «Wildkirchli». Escursioni da facili a impegnative permettono di scen-dere a valle, per esempio al coreografico Seealpsee. O di salire ancora più su: come l'itinerario di 1 ora. via Alp Chlus per il ristorante Schäfler, in vetta, dove la vista si estende oltre le romantiche colline dell'Appen-zello fino al Mittelland.

Unglaublich romantisch:
Eremitenhäuschen beim
Wildkirchli.

Unbelievably romantic –
hermit's house at "Wildkirchli".

Incroyablement romantique:
la cabane d'un ermite près
du «Wildkirchli».

Atmosfere romantiche:
la casupola dell'eremita di
«Wildkirchli».

Traditionell farbenfroh: Der Alpaufzug im Toggenburg läutet den
Bergsommer ein. Nicht nur die
Älpler, auch die Wanderer zieht es
dann in die Höhe, zum Beispiel zu
den imposanten Kreuzbergen.

Traditionally colourful – the ascent
to the alpine meadows in Toggenburg
marks the start of summer. Herdsmen and hikers alike are drawn to
the mountains – for example to the
stunning Kreuzberge pictured here.

La montée à l'alpage dans le
Toggenburg sonne le début de
l'été à la montagne. Non seulement
les autochtones, mais aussi les
randonneurs se rendent dans les
hauteurs, par exemple au sommet
des Kreuzberge.

Tradizionale e variopinta: nel
Toggenburg la salita all'alpeggio
inaugura l'estate. Non solo gli
alpigiani, ma anche gli escursionisti
salgono in quota. Per esempio
sugli imponenti Kreuzberge.

Beim Wildkirchli lädt der verträumte Gasthof Aescher auf seine Terrasse, bevors hinuntergeht zum Seealpsee, zurück durch die Höhle zur Ebenalp-Bahn oder noch weiter hinauf, zum Gipfelrestaurant Schäfler.

While away time on the terrace of the peaceful Gasthof Aescher at "Wildkirchli" before setting off down to the Seealpsee, back through the caves to the Ebenalp cable car or up to the Restaurant Schäfler at the top.

L'auberge Aescher, au «Wildkirchli», vous invite sur sa terrasse, avant de redescendre sur le lac Seealp, au travers des grottes pour rejoindre le train d'Ebenalp ou de vous rendre encore plus haut, au restaurant du sommet Schäfler.

Presso la «Wildkirchli» una romantica osteria invita sulla sua terrazza, prima di scendere al Lago Seealp – passando per la galleria che porta alla funivia dell'Ebenalp – o di salire in vetta al ristorante Schäfler.

Im Toggenburg wachen die Sieben Churfirsten über dem Walensee. Besonders das «Dach vom Chäserrugg» gilt als Kletterparadies.

The seven Churfirsten of the Toggenburg stand guard over Lake Walen, whilst the "roof of Chäserrugg" is a true paradise for climbers.

Au-dessus du Walensee se dressent les sept Churfirsten. «Le toit du Chäserrugg» passe tout particulièrement pour être le paradis des grimpeurs.

Nel Toggenburg i sette Churfirsten vegliano sul Walensee. Il «tetto del Chäserrugg» è considerato un paradiso per la roccia.

Er räkelt sich an der Sonne, wenn im Tal der Nebel klebt: Kein Wunder, ist der Säntis der beliebteste Ausflugsberg der Ostschweiz.

Basking in glorious sunshine, while the valley below is shrouded in fog, the Säntis is Eastern Switzerland's most popular mountain destination.

Il se prélasse au soleil, pendant que le brouillard stagne dans la vallée: aucun doute, le Säntis est la montagne d'excursion préférée de la Suisse orientale.

Si staglia al sole, quando la valle è immersa nella nebbia: non a caso il Säntis è la meta ricreativa preferita della Svizzera orientale.

Via Spluga

Auf alten Säumerpfaden

In vier Tagen vom kühlen Norden in den warmen Süden: Die «Via Spluga» ist ein Kultur- und Weitwanderweg der landschaftlichen Superlative. Schon vor 2000 Jahren fanden Menschen, Waren und Ideen von Thusis über den Splügenpass nach Chiavenna – und umgekehrt. Ein bequemer Service hält Wandernden heute den Rücken frei: Das Gepäck wird zum nächsten Etappenort transportiert. Die gesamte Route von 65 Kilometern führt in vier Tagen durch die tiefe, oft nur wenige Meter breite Viamalaschlucht, vorbei an Zillis mit der schönsten bemalten Kirchendecke Europas, durch die Rofflaschlucht und auf steinigen Pfaden über den Splügenpass (2115 m) nach Italien, wo die Cardinellschlucht, die verführerische Küche von Isola und das charmante Städtchen Chiavenna locken.

Along old trading paths

From the cool north to the warm south in four days - the "Via Spluga", or Spluga Way, is a long-distance cultural route leading through stunning countryside. For more than 2,000 years, the Via Spluga has been the main route for people, trade and ideas over the Splügen Pass in both directions between Thusis and Chiavenna. Today people hike it for fun while their luggage is transported to their next overnight stop. Four days and 65 kilometres take you through the deep and often only a few metres wide Viamala Gorge, past Zillis with Europe's most beautifully painted church ceiling, through the Roffla Gorge and along rocky paths over the Splügen Pass (2,115 m) to Italy, where the breathtaking Cardinell Gorge, Isola's tempting cuisine and the charming town of Chiavenna await you.

Sur les anciens sentiers muletiers

En quatre jours, de la fraîcheur du Nord au doux climat du Sud: la «Via Spluga» est un sentier culturel de grande randonnée à travers des paysages faits de superlatifs. Il y a 2000 ans, les hommes, les marchandises et les idées circulaient déjà entre Thusis et Chiavenna en passant par le col du Splügen, et vice-versa. Aujourd'hui, les randonneurs peuvent faire le parcours sans bagages, ceux-ci étant transportés jusqu'à la prochaine étape. Le parcours, 65 kilomètres en quatre jours, les entraîne à travers les profondes et étroites gorges de la Viamala – à Zillis, vous pourrez admirer le plus beau plafond d'église d'Europe – suivies par les gorges de la Roffla et le sentier pierreux du col du Splügen (2115 m) qui mène en Italie. C'est là que vous découvrez tour à tour les somptueuses gorges de la Cardinella, la cuisine raffinée d'Isola et la pittoresque cité de Chiavenna.

Su antiche mulattiere

In quattro giorni dal freddo Nord al mite Sud (o viceversa): la «Via Spluga» è un itinerario culturale ed escursionistico di rara bellezza. Già 2000 anni fa genti, merci e idee circolavano da Thusis via Passo dello Spluga a Chiavenna - e viceversa. Un comodo servizio risparmia la schiena dei moderni viandanti: i bagagli vengono trasportati di tappa in tappa. Il tragitto si snoda, per 65 chilometri complessivi e in quattro giorni, attraverso la profonda e spesso strettissima gola della Viamala, il paesino di Zillis e la chiesa con il più bel soffitto decorato d'Europa, la gola della Roffla e, su sentieri di pietra, il Passo Spluga (2115 m): verso l'Italia, dove attendono la gola di Cardinell, la squisita cucina di Isola e la graziosa Chiavenna.

Zuweilen ein steiniger Weg: Die historische Passstrasse «Via Spluga» sprengt Grenzen.

Often a stony path, the historic "Via Spluga" truly crosses borders.

De temps à autre un chemin rocailleux: la route historique «Via Spluga» saute au-dessus des frontières.

Di tanto in tanto una strada di pietra! Lo storico valico della «Via Spluga» supera ogni confine.

In Zillis erwartet den Wanderer
die Kirchendecke von St. Martin,
eine der ältesten figürlich bemalten
Holzdecken der abendländischen
Kunst (um 1160).

In Zillis, take time to admire the
ceiling of St. Martin's Church, one
of the oldest painted wooden roofs
in the Western world (ca 1160).

A Zillis, l'église de Saint-Martin
présente au randonneur l'un des
plus anciens plafonds de bois peint
de l'art occidental (vers 1160).

A Zillis i viandanti sono accolti dal
soffitto della chiesa di San Martin,
uno dei più antichi soffitti lignei
decorati dell'arte occidentale
(1160 ca.).

Eng, tief und abenteuerlich präsen-
tieren sich Rofflaschlucht und die
Viamala. Den «schlechten Weg»
erreicht man erst über eine lange
Steintreppe.

Narrow, deep and full of adventure –
the Roffla Gorge and the "Viamala".
The "bad trail" is reached via a long
set of steps in the rock.

Les gorges de Roffla et de la Viamala
sont étroites, profondes et aussi
aventureuses. On accède au
«mauvais chemin» par un
long escalier de pierre.

Strette, profonde e avventurose:
sono la gola della Roffla e la Viamala.
Quest'ultima si raggiunge solo
dopo una lunga scala di pietra.

Am Splügenpass: Säumerdorf Splügen, alte Landbrugg bei Hinterrhein, Serpentinenstrasse und freigelegte historische Pflästerung.

The trading village of Splügen and the old Landbrugg bridge at Hinterrhein. Hairpin bends and the original cobbled path.

Splügen, village des muletiers et l'ancien pont Landbrugg près de Hinterrhein. Des routes sinueuses… aux vieux pavés dégagés.

Splügen – paese di mulattieri – e l'antico ponte Landbrugg a Hinterrhein. La strada a curve con lastricato storico.

Die Surettaseen südlich von Splügen gelten als einzigartige hochalpine Seenlandschaft. Sie öffnen auf 2266 Metern eine herrliche Aussicht auf den Pizzo Tambo.

The Suretta lakes to the south of Splügen form a unique high alpine lake landscape. At 2,266 metres, they provide a wonderful view of the Pizzo Tambo.

Les lacs de Suretta au sud de Splügen passent pour être un paysage unique dans les hautes Alpes. Magnifique vue, à 2266 mètres, sur le Pizzo Tambo.

I laghi Suretta, a sud di Splügen, formano un ambiente lacustre d'alta montagna unico. A 2266 metri dischiudono una fantastica veduta sul Pizzo Tambo.

Soglio

Betörendes Bergell

Giovanni Segantini muss im Garten des Palazzo Salis gesessen haben, als er schwärmte, Soglio sei «die Schwelle zum Paradies». Zwei ausladende Mammutbäume spenden Schatten, der barocke Rosengarten sorgt für Romantik, und am Horizont nagen die Denti, die «Bergeller Zähne», am blauen Bündner Himmel. 1998 als «Historisches Hotel des Jahres» ausgezeichnet und seit Ewigkeiten in Familienbesitz, bietet der Respekt einflössende Bau seinen Gästen in 15 Zimmern ein Stück Vergangenheit, im Gourmetrestaurant regionale Köstlichkeiten und vor der Tür mediterranes Flair. Wer sich die Nacht redlich verdienen möchte, wandert in fünf Stunden von Casáccia auf der «Panoramica» nach Soglio. Oder macht einen Spaziergang durch den grössten Edelkastanienwald der Alpen.

Beguiling Bregalia

Giovanni Segantini must have been sitting in the garden of the Palazzo Salis when he exclaimed that Soglio was "the gateway to paradise". With its romantic rose garden under the shade of two giant sequoia trees and stunning views of the Denti ("Teeth of Bregalia") soaring up into the blue Graubünden sky, this impressive Palazzo was declared "Historical Hotel of the Year" in 1998. Family-owned since time immemorial, the 15 rooms provide a taste of the past and the regional delicacies of the gourmet restaurant delight – a true blend of Mediterranean flair and Swiss tradition. And if you really want a well-earned night's sleep, then take the five-hour "Panoramica" trail from Casáccia to Soglio, or try a shorter walk through the largest sweet chestnut forest in the Alps.

Eblouissante région du Val Bregaglia

C'est dans le jardin de l'hôtel du Palazzo Salis que Giovanni Segantini s'est sans doute exclamé que Soglio était la «porte du paradis». Deux séquoias procurent de l'ombre, la roseraie baroque apporte une touche de romantisme et à l'horizon se profilent les Denti, les «dents du Val Bregaglia», dans le ciel bleu des Grisons. Le soin porté à sa construction force le respect et, c'est en 1998 qu'il sera reconnu comme l'«hôtel historique de l'année». Cet hôtel est la propriété de la même famille depuis une éternité. Il propose à ses hôtes un air du temps passé dans ses 15 chambres, des spécialités régionales dans son restaurant gourmet et, partout, une ambiance méditerranéenne. Qui veut passer la nuit dans une des chambres doit le mériter: en effet, la randonnée de cinq heures de Casáccia à Soglio par la «Panoramica» lui en donne l'occasion. Vous pourrez également vous promener dans la plus grande châtaigneraie des Alpes.

Seducente Val Bregaglia

Giovanni Segantini di sicuro si sedette nel giardino di Palazzo Salis, prima di affermare che Soglio era «la soglia del paradiso». Due sequoie giganti regalano ombra, il giardino barocco di rose dà un tocco di romanticismo e sull'orizzonte i Denti della Val Bregaglia azzannano l'azzurro cielo grigionese. Premiato nel 1998 come «Hotel storico dell'anno» e da sempre a conduzione familiare, l'edificio – che incute rispetto – offre ai suoi ospiti 15 stanze ricche di storia, golosità regionali nel ristorante gourmet e, appena fuori dalla porta, fascino mediterraneo. Chi si vuol «guadagnare» una notte nell'albergo, può cimentarsi nell'escursione di cinque ore sulla «Panoramica» da Casáccia a Soglio. O in una passeggiata attraverso il più grande castagneto delle Alpi.

Von der Sonne verwöhnt,
von Hektik verschont:
das Bergeller Dorf Soglio.

Peaceful and sun drenched –
the village of Soglio in the
Bregalia.

Habitué au soleil, épargné
de l'effervescence: le village
de Soglio, Bregaglia.

Viziato dal sole, risparmiato
dallo stress: Soglio in
Val Bregaglia.

Auch für weniger geübte Wanderer
ein Vergnügen: der Höhenweg
«La Panoramica» zwischen Casaccia
und Soglio mit Blick auf die Bergeller
Kletterberge. Imposante Kletterei
an der Fiamma, der Granit-Flamme.

Great fun for all, whether experienced or not – the high level "La
Panoramica" trail between Casaccia
and Soglio, with views of the Bregalian
mountains. Impressive climbing
routes on the Fiamma, a solid
granite flame.

Un plaisir pour randonneurs de tout
niveau: le chemin des hauteurs
«La Panoramica» entre Casaccia et
Soglio avec vue sur les aiguilles de
Bregaglia. Imposant mur d'escalade
à la Fiamma, la flamme de granit.

Un piacere anche per escursionisti
poco allenati: l'alta via «La Panoramica», tra Casaccia e Soglio, con
vista sulle pareti alpinistiche della
Val Bregaglia. Scalata emozionante
nel granito della Fiamma.

102

Der Palazzo Salis ist heute ein be-
liebtes Hotel: Mehrere Generationen
der von Salis haben mit Möbeln,
Bildern und Wandmalereien zur
reichen Ausstattung beigetragen.

The Salis Palazzo is today a much-
loved hotel. Several generations of the
von Salis family have contributed to
the rich decoration of the palazzo with
furnishings, pictures and murals.

Le Palazzo Salis est un hôtel très
apprécié de nos jours: plusieurs
générations de la famille von Salis
ont contribué à le meubler et à
le décorer par des tableaux et
peintures sur mur.

Oggi Palazzo Salis è un rinomato
hotel: varie generazioni dei von
Salis hanno contribuito al suo ricco
arredamento con mobili, quadri
e affreschi.

Der Kirchturm von Soglio ragt weit
über das Dorf – beinahe bis hoch
zur Sciora-Bergkette –, während sich
die übrigen Gebäude malerisch unter
ihre Steinplatten-Dächer ducken.

Soglio's church tower soars up
above the village, almost as high as
the Sciora mountain chain, whilst
the rest of the village is tucked away
under stone roofs.

Le clocher de l'église de Soglio
domine le village, à l'image des
imposantes crêtes de sciora. Tandis
que les demeures alentour aux
toitures de pierre exhalent leur
charme pittoresque.

La torre della chiesa di Soglio svetta
alta sopra il paese, superata solo
dalla catena di Sciora, mentre le
graziose case si rannicchiano sotto
i loro tetti di pietra.

Maienfeld – Heidiland

Bei Heidi daheim

Die Schriftstellerin Johanna Spyri verbrachte ihre Ferien nicht von ungefähr in der Bündner Herrschaft. Diese Region inspirierte sie – unter anderem zu ihrem weltberühmten Heidi-Roman. Schnell fand sie geeignete Kulissen: jenen alten Weiler über Maienfeld, der heute Heididorf (660 m) heisst und Ausgangspunkt ist für den Heidi-Erlebnisweg, eine liebliche Reise durch Geschichte und Zeit. Er führt zu Heidis Wohnhaus, durch den Luvawald zum Geissenpeterhaus und auf den Ochsenberg (1111 m), wo sich Heidis Grossvater, der Alpöhi, noch heute gerne fotografieren lässt. Wer mag, wandert von hier auf dem Grossen Heidiweg über den Kaltboden nach Jenins. Und hat sich damit ein paar wohlige Stunden im Thermalbad von Bad Ragaz redlich verdient.

At home with Heidi

The author Johanna Spyri spent her holidays in the Graubünden with good reason – the region inspired her creativity and was the source for her world-famous "Heidi". Perfect settings were easy to find – for example the old hamlet above Maienfeld – today known as "Heidi Village" (660 m), and the start of the Heidi Trail, a charming journey through history and time passing by Heidi's House, through the Luva Forest to Peter the goatherd's House, before arriving at the Ochsenberg (1,111 m), where Heidi's grandfather, the Alpöhi, loves nothing more than being photographed. And should you feel up to it, then take the longer Heidi Trail via Kaltboden to Jenins, and earn yourself a relaxing dip in the thermal baths of Bad Ragaz.

Au pays de Heidi

La romancière Johanna Spyri avait de bonnes raisons de passer ses vacances aux Grisons. Cette région lui a notamment inspiré les aventures de son célèbre personnage de Heidi. Rapidement, l'écrivain a trouvé le décor de son livre dans un petit hameau situé au-dessus de Maienfeld, aujourd'hui Heididorf, le village de Heidi (660 m). Ce village constitue à présent le point de départ du sentier d'Heidi, un voyage à travers l'histoire et le temps. Le sentier conduit à la maison d'Heidi, à travers la forêt Luva, et il longe la maison de Peter jusqu'à l'Ochsenberg (1111 m), où le grand-père d'Heidi surnommé Alpöhi, se laisse volontiers photographier. Qui le souhaite peut aussi emprunter le grand sentier d'Heidi jusqu'à Jenins en passant par Kaltboden. Les amateurs auront ainsi bien mérité une petite pause dans les bains thermaux de Bad Ragaz.

Ospiti di Heidi

Non per niente la scrittrice Johanna Spyri trascorreva le sue vacanze nella cosiddetta «Bündner Herrschaft». Questa regione ispirò, tra l'altro, il suo famosissimo romanzo «Heidi». Non ebbe difficoltà a trovare uno scenario adatto, il vecchio borgo sopra Maienfeld che oggi si chiama Heididorf (660 m) ed è punto di partenza dell'omonimo Sentiero tematico: un piacevole viaggio nella storia e nel tempo. Si snoda tra la casa di Heidi, il bosco di Luva, la casa di Peter e l'Ochsenberg (1111 m), dove ancora oggi il nonno di Heidi si lascia fotografare volentieri. Chi ne ha voglia, può proseguire sulla Grande via di Heidi via Kaltboden fino a Jenins. Per premiarsi poi con una meritata incursione alle Terme di Bad Ragaz.

Maienfeld: Hauptort der Bündner Herrschaft und des «Herrschäftlers» (Wein).

Maienfeld, centre of the Bündner Herrschaft and a major wine producing area.

Maienfeld: capitale de la région Bündner Herrschaft et du vin «Herrschäftler».

Maienfeld: capitale della cosiddetta «Bündner Herrschaft» e del vino locale («Herrschäftler»).

1240 entdeckten zwei Jäger in der Taminaschlucht eine 36,5 Grad warme Quelle. Heute speist diese die Thermen von Bad Ragaz. Und zieht die Besucher in ihren Bann.

In 1240, two hunters discovered a hot spring (36.5°C) in the Tamina Gorge. Today, this feeds the thermal baths of Bad Ragaz, attracting many visitors.

En 1240, deux chasseurs ont découvert une source chaude de 36,5° dans les gorges de la Tamina. Aujourd'hui, elle alimente les thermes de Bad Ragaz.

Nel 1240 due cacciatori scoprirono, nella gola della Tamina, una sorgente calda (36,5 °C). Oggi questa fonte alimenta le terme di Bad Ragaz e ne seduce i visitatori.

Die Abgeschiedenheit im Calfeisental, Heidis Alp ob Maienfeld und die Aussicht vom Kerenzerberg über den Walensee machen die Region für Wanderer besonders attraktiv.

The peace and quiet of the Calfeisen Valley, Heidi's Alp above Maienfeld, and the views of the Walensee from Kerenzerberg make this region particularly attractive for hiking.

L'isolement dans la vallée de Calfeisen, l'alpe de Heidi près de Maienfeld et la vue sur le Walensee depuis le Kerenzerberg rendent cette région particulièrement attractive pour les randonneurs.

L'isolato Calfeisental, l'alpe di Heidi sopra Maienfeld e il panorama sul Walensee dal Kerenzerberg rendono questa regione molto attraente per gli escursionisti.

Allalinhorn 4027 m

Ein Viertausender für jedermann

Die Motivation: einmal im Leben auf einem Viertausender stehen. Die Voraussetzung: Freude am Wandern. Die Belohnung: ein Gipfel-Erlebnis par excellence. Ein bisschen Mut braucht es allerdings schon. Doch die Bergführer im Walliser Gletscherdorf Saas Fee lotsen ambitionierte Berggänger (fast) jeden Alters sicher aufs 4027 Meter hohe Allalinhorn. Gut angeseilt und mit Steigeisen ausgerüstet beginnt die Kletterpartie bei der Bergstation der Metro Alpin, mit dem höchstgelegenen Drehrestaurant der Welt auf rund 3500 Metern. Lediglich zwei Stunden dauert der Aufstieg über Schneefelder, Gletschereis und kleine Felspartien, bevor es als Belohnung 15 Viertausender auf Augenhöhe zu geniessen gibt – vom Mont Blanc übers Matterhorn bis zum Piz Bernina.

A 4,000 m summit for all

The motivation – to stand on a 4,000 m summit once in your lifetime. The condition – a love of hiking. The reward – a fantastic alpine experience. With a little bit of courage on your part, the mountain guides of the village of Saas Fee, set amongst the glacier strewn mountains of the Valais, will safely guide keen hikers of (almost) all ages up the 4,027 m high Allalinhorn. Roped-up and kitted out with crampons, the ascent starts at the top station of the Metro Alpin (ca. 3,500 m), home to the world's highest revolving restaurant. Crossing snow fields and glaciers, with occasional scrambling sections, the couple of hour's effort required are well worth the reward – a panorama of fifteen 4,000 m summits from up on high, from the Mont Blanc to the Matterhorn to the Piz Bernina.

Un 4000 accessible à tous

La motivation: accéder une fois dans sa vie au sommet d'un 4000. La condition: aimer la randonnée. La récompense: vivre une expérience unique au sommet. Pour cela, un peu de courage est cependant nécessaire. Au départ de Saas Fee en Valais, les guides emmènent en toute sécurité les marcheurs ambitieux de (presque) tous les âges au sommet de l'Allalin, à 4027 mètres d'altitude. C'est encordé et équipé de crampons que commence l'ascension depuis la station d'altitude du Metro Alpin et son restaurant pivotant le plus haut du monde (3500 m). Deux heures de marche à travers le glacier, des espaces enneigés et de courts tronçons de rocher suffisent pour atteindre le sommet. Là, on est récompensé par un panorama grandiose sur 15 «quatre mille», du Mont-Blanc au Piz Bernina en passant par le Cervin.

Un quattromila per tutti

La motivazione: mettere piede una volta nella vita su un quattromila. La premessa: amare le escursioni. La ricompensa: vivere l'avventura di montagna per eccellenza. Un po' di coraggio ci vuole, ma le guide vallesane della perla dei ghiacci Saas Fee sanno motivare ambiziosi montanari di (quasi) ogni età fino in vetta all'Allalinhorn (4027m): ben assicurati e armati di ramponi, iniziano la loro avventura presso la stazione a monte del Metro Alpin, con il più alto ristorante girevole del mondo a 3500 metri! In due ore superano nevai, ghiacciai e brevi tratti rocciosi, per essere ricompensati infine da 15 quattromila... alla loro altezza: dal Monte Bianco al Cervino al Piz Bernina.

Bei der Terrasse des Mittelallalin beginnt der Aufstieg auf 4027 Meter.

The ascent to 4,027 m begins on the terrace of the Mittelallalin.

L'ascension de ce 4027 mètres commence au Mittelallalin.

Presso la terrazza del Mittelallalin inizia la salita ai 4027 metri.

Die Standseilbahn «Metro Alpin» führt unterirdisch vom Felskinn zum Ausgangspunkt der Besteigung, dem Mittelallalin.

The "Metro Alpin" funicular takes you underground from Felskinn up to your starting point at the Mittelallalin.

Le funiculaire souterrain «Metro Alpin» vous conduit de Felskinn au point de départ de l'ascension du Mittelallalin.

La funicolare «Metro Alpin» si snoda sotto terra dal Felskinn al punto di partenza della scalata, il Mittelallalin.

Spuren im Schnee und endloser Himmel: Der Aufstieg über Schneefelder, Gletschereis und kleine Felspartien verspricht ein berauschendes Höhenerlebnis.

Footprints in the snow and endless sky – the ascent across snowfields, glacier ice and the occasional section of scrambling provides unforgettable memories.

Des traces dans la neige et un ciel à perte de vue: l'ascension promet d'être une grande expérience, hallucinante, à travers des champs de neige et le glacier.

Tracce nella neve e un cielo infinito: la salita attraverso nevai, ghiacciai e piccoli tratti di roccia promette un'esperienza in quota inebriante.

Val d'Anniviers

Ein Tal zeigt Charme

Weitab von grossen Strassen haben die Dörfer im Val d'Anniviers ihre Ursprünglichkeit bewahrt. Das gilt besonders für Grimentz mit seinen sonnenversengten, schwarzen Häusern, den silbernen Lärchenholz-Schindeln, den feuerroten Geranien und den Kellern, wo der berühmte Gletscherwein reift. Das Val d'Anniviers ist eine kleine, malerische Welt voll herbem Charme – und auf dem Rundweg von Sierre über Chandolin, Zinal und Vercorin für manche Überraschung gut. Etwa im historischen Hotel Bella Tola in St-Luc. Dieses hat nur drei Sterne, ist aber an Romantik kaum zu überbieten. Mit seiner Einrichtung aus dem 19. Jahrhundert präsentiert es sich als Zitat aus einer Zeit, in der noch Roggenbrot hergestellt und Wolle gesponnen wurde – was den Gästen gerne demonstriert wird.

A valley with charm

Far away from busy roads, the villages of Val d'Anniviers, and in particular the village of Grimentz with its sun-scorched wooden houses, silver shingles, fiery red geraniums and famous glacier wine, have managed to retain their original charm. The small and picturesque Val d'Anniviers has much to offer – enjoy its many surprises along the route from Sierre via Chandolin, Zinal and Vercorin. Call into the Hotel Bella Tola in St-Luc – it may only have 3 stars, yet cannot be beaten for romantic charm. Straight out of the late 19th century, the hotel is a reminder of times gone by, when rye bread was still made and wool still spun in the valley – traditions which guests can experience for themselves.

Une vallée de charme

Loin des grandes artères, les villages du Val d'Anniviers ont conservé leur authenticité. Et ce, tout particulièrement à Grimentz, avec ses maisons noircies par le soleil, ses bardeaux argentés, ses géraniums rouges vifs, et sans oublier les caves où mûrit le célèbre vin des glaciers. Le Val d'Anniviers, pittoresque vallée au charme farouche, abrite des sites incomparables tout au long du circuit de Sierre à Chandolin, Zinal et Vercorin. L'hôtel historique Bella Tola à St-Luc en est le meilleur exemple. Il n'a que trois étoiles, mais pour son romantisme il est inclassable. Avec son aménagement du XIXe siècle, il se présente comme une citation d'un autre temps, dans lequel on pétrit encore le pain de seigle et où l'on file la laine; activités volontiers montrées aux hôtes.

Lo charme di una valle

Lontani dalle grandi strade, i villaggi della Val d'Anniviers conservano il loro carattere tipico. Questo vale soprattutto per Grimentz, paese di case annerite dal sole, tetti argentati, gerani rosso fuoco. E cantine, dove invecchia il famoso vino del ghiacciaio. La Val d'Anniviers è un microcosmo dal fascino ruvido: il percorso ad anello da Sierre a Chandolin, Zinal e Vercorin riserva varie sorprese. Per esempio lo storico Hotel Bella Tola di St-Luc, che ha solo tre stelle ma quanto a romanticismo è imbattibile. Con il suo arredamento del XIX secolo è la rappresentazione vivente di un'epoca in cui si faceva ancora il pane di segale e si filava la lana: gli ospiti ne riceveranno una dimostrazione.

Beim Moiry-Stausee gibt der Gletscher der Natur den letzten Schliff.

At the Moiry reservoir, the glacier adds the finishing touch.

Au barrage de Moiry, le glacier polit la nature une dernière petite fois.

Presso il lago artificiale di Moiry il ghiacciaio plasma la natura.

Ist ebenso berühmt für seine
Geranien wie für die sonnenver-
sengten Fassaden: Grimentz im
Val d'Anniviers.

As famous for its geraniums as for
its sun blackened houses – Grimentz
in the Val d'Anniviers.

Grimentz, dans le Val d'Anniviers:
Célèbre pour ses géraniums et ses
façades de bois brunies par le soleil.

Celebre tanto per i suoi gerani quanto
per le facciate annerite dal sole:
è Grimentz, in Val d'Anniviers.

Die Cabane de Tracuit (3258 m)
eignet sich als Ausgangspunkt für
das Bishorn (4153 m, links) und
das Weisshorn (4505 m).

The Cabane de Tracuit (3,258 m)
is the perfect starting point for the
Bishorn (4,153 m, left) and the
Weisshorn (4,505 m).

La cabane de Tracuit (3258 m) est un
point de départ pour le Bishorn
(4153 m) et le Weisshorn (4505 m).

La Cabane de Tracuit (3258 m)
è punto di partenza ideale per la
salita al Bishorn (4153 m) e al
Weisshorn (4505 m).

An diesen Eis- und Schneewänden
bleibt der Tag gern hängen.
Zinalrothorn (4221 m, links) und
Ober Gabelhorn (4063 m).

Evening sun on the ice and snowfields
of the Zinalrothorn (4,221 m, left)
and the Ober Gabelhorn (4,063 m).

Le jour s'attarde volontiers sur
ces parois de glace et de neige. Le
Zinalrothorn à gauche (4221 m)
et l'Ober Gabelhorn (4063 m).

Tra queste pareti di neve e di
ghiaccio il tempo sembra fermarsi:
Zinalrothorn (4221 m, a sinistra)
e Ober Gabelhorn (4063 m).

Zermatt – Matterhorn

Zermatt – Le Cervin · Zermatt – Il Cervino

Das Matterhorn im Fokus

Kein anderer Berg der Welt wird öfter fotografiert als das Matterhorn. Besonders attraktiv präsentiert es sich auf der fünfstündigen Wanderung von Blauherd nach Sunnegga, wo es sich hinter fünf fast schon kitschig-schönen Seen immer wieder für Hobbyfotografen ins rechte Licht rückt. Wer auf der Wanderung müde wird, nimmt eine Abkürzung – dafür anderntags die Bergbahn zum Gornergrat, um das Schweizer Wahrzeichen noch näher abzulichten, diesmal mit Gletscher. Hier, auf 3089 Metern, steht auch das höchstgelegene Hotel der Alpen. Nun fehlt nur noch der Höhepunkt eines Matterhorn-Fototrips, die Gondelfahrt von Zermatt zur höchstgelegenen Luftseilbahn-Station Europas: dem Klein Matterhorn (3883 m), auch bekannt als «Matterhorn Glacier Paradise».

The Matterhorn in your sights

No other mountain is quite as photographed as the Matterhorn! Some of the best views to be had are on the five-hour hike from Blauherd to Sunnegga, with chocolate-box shots from each of the five lakes along the way. And should your legs be feeling tired, then take one of the short-cuts down – you can always take the Gornergrat mountain railway the next day for a few more close-up shots of this famous Swiss symbol – this time complete with glacier. At 3,089 m, the Gornergrat is home to the highest hotel in the Alps. All that is now missing is the highlight in Matterhorn photography – a trip by cable car from Zermatt to the Klein Matterhorn and Europe's highest cable car station (3,883 m) – also known as the "Matterhorn Glacier Paradise".

Le Cervin en point de mire

Aucune autre montagne n'est aussi souvent photographiée que le Cervin. Les plus belles vues sur ce sommet légendaire s'ouvrent tout au long de l'itinéraire pédestre de cinq heures de Blauherd à Sunnegga, avec au premier plan cinq lacs de carte postale. Si la randonnée vous paraît trop longue, vous pouvez descendre en prenant un raccourci et remonter le lendemain avec le train du Gornergrat pour photographier à nouveau l'emblème de la Suisse, cette fois avec le glacier. Là-haut, à 3089 m d'altitude, vous trouverez aussi l'hôtel le plus haut des Alpes. Pour compléter votre collection de prises de vue, il ne manque plus qu'une excursion au Petit Cervin (3883 m), la station de téléphérique la plus haute d'Europe, connue aussi sous le nom de «Matterhorn Glacier Paradise».

Obiettivo sul Cervino

Nessun'altra montagna al mondo è tanto fotografata quanto il Cervino, che svetta in modo molto fotogenico nell'escursione di cinque ore da Blauherd a Sunnegga: dietro cinque laghi da cartolina il simbolo svizzero, sempre nella luce giusta, fa la gioia di tutti i fotografi. Chi si stanca, qui può prendere la scorciatoia. Il giorno dopo è la volta del trenino del Gornergrat, per immortalare ancora il gigante – questa volta con ghiacciaio. Qui, a 3089 metri, si trova anche il più alto hotel delle Alpi. E per finire in bellezza, il safari fotografico del Cervino: viaggio in cabina da Zermatt alla più alta stazione di funivia d'Europa sul Piccolo Cervino (3883 m), alias «Cervino Glacier Paradise».

Fast zu schön, um wahr zu sein: Das Matterhorn spiegelt bei Vollmond im Stellisee.

Almost too beautiful to be true! The Matterhorn under the full moon from the Stellisee.

D'une beauté absolue: les reflets du Cervin dans le Stellisee sous la pleine lune.

Troppo bello per essere vero: il Cervino si specchia nello Stellisee al chiaro di luna.

Auf Augenhöhe mit dem Matterhorn: Zum höchstgelegenen Hotel der Schweiz auf dem Gornergrat (3089 m) fährt eine Bergbahn.

Eye to eye with the Matterhorn – up on the Gornergrat (3,089 m), Switzerland's highest hotel can be reached by mountain railway.

Face à face avec le Cervin: le chemin de fer du Gornergrat accède au plus haut hôtel de Suisse (3089 m).

Trovarsi all'altezza del Cervino! Il più elevato hotel svizzero, sul Gornergrat (3089 m), si raggiunge in trenino.

Eine Dreierseilschaft steigt über den Liskamm (4527 m) auf. Nur das Knirschen der Schritte im Schnee ist zu hören und das Atmen in der kalten, klaren Luft.

Roped up, three climbers ascend the Liskamm (4,527 m), to the steady rhythm of snow crunching underfoot and deep breaths of cold clear air.

Une cordée de trois grimpe sur le Liskamm (4527 m). On n'entend que le crissement des pas dans la neige et la respiration dans l'air froid et pur.

Una cordata a tre scala il Liskamm (4527 m). Si sentono solo lo scricchio-lio degli scarponi nella neve e il respiro nell'aria tersa e cristallina.

Im Schatten des Matterhorns, aber genauso überwältigend: das Monte-Rosa-Massiv und der Gornergletscher.

In the shadow of the Matterhorn, yet just as impressive – the Monte Rosa Massif and the Gorner Glacier.

A l'ombre du Cervin, mais tout aussi sublime: le massif du Mont Rose et le glacier du Gorner.

All'ombra del Cervino, ma altrettanto imponente: il massiccio del Monte Rosa e il ghiacciaio del Gorner.

124

Das mächtige Weisshorn (4505 m) gilt unter Alpinisten als einer der schönsten Berge überhaupt: Wanderer beim Gebidumsee oberhalb von Visperterminen.

The mighty Weisshorn (4,505 m), considered by many to be one of the most beautiful mountains around. Hikers by the Gebidumsee above Visperterminen.

Le puissant Weisshorn (4505 m) passe pour être une des plus belles montagnes parmi les alpinistes: des randonneurs autour du lac de Gebidum au-dessus de Visperterminen.

Per gli alpinisti l'impressionante Weisshorn (4505 m) è una delle più belle cime in assoluto: escursionisti presso il Gebidumsee, sopra Visperterminen.

Pilatus

Mt Pilatus · Mont Pilate · Monte Pilatus

Lauter Hochgefühle

Mit 2132 Metern thront der Pilatus über der Zentralschweiz: Wer an klaren Tagen in die Runde schaut, sieht 73 Alpengipfel. Und wer auf dem eindrücklichsten Weg hoch hinaus will, bucht die «Goldene Rundfahrt». Mit dem Dampfschiff gehts von Luzern nach Alpnachstad. Hier klettert die weltweit steilste Zahnradbahn den Berg hinauf und durchquert die senkrechte Eselwand. Ob auf einem kurzen Spaziergang über den «Drachenberg» oder einer längeren Wanderung: Die Aussicht ist für alle gratis, und neben 900 Pflanzenarten gibts mit etwas Fantasie in der Felsformation auch den Drachen zu entdecken. Auf der anderen Seite gilt es, die längste Sommerrodelbahn der Schweiz zu testen, bevor die Gondel nach Kriens fährt, wo bereits der Bus nach Luzern wartet.

Way up on high

Rising up 2,132 m above Central Switzerland, Mt Pilatus boasts views of 73 alpine summits on a clear day. Discover Pilatus at its most spectacular and spend a day on the "Golden Round Trip". Take the steamer from Lucerne to Alpnachstad and then continue on the steepest cogwheel railway in the world, travelling across the sheer Eselwand cliff face. Whether on a short stroll or a longer hike on the "dragon mountain", the view is free for all. Discover the more than 900 different plant species and – with a little bit of imagination – maybe even a friendly dragon in the rocks. On the other side of the mountain, try out Switzerland's longest summer toboggan run, before taking the cable car down to Kriens to board the bus back to Lucerne.

Pour des sensations plus pures

Avec ses 2132 mètres, le Mont Pilate trône sur la Suisse centrale. Par beau temps, 73 sommets alpins sont visibles. Et qui veut emprunter le parcours le plus spectaculaire choisit le «Circuit en or». En bateau à vapeur de Lucerne à Alpnachstad, puis prendre le chemin de fer à crémaillère le plus raide du monde jusqu'au sommet, traversant la paroi verticale de Eselwand. Il est maintenant temps de faire une petite promenade sur la «montagne du dragon». Vous préférez une randonnée plus longue? Très bien. Panorama gratuit pour tout le monde et 900 espèces de plantes à découvrir. Avec un peu d'imagination, vous verrez même un dragon se dessiner dans les formations rocheuses. De l'autre côté se trouve la plus longue piste de luge d'été de Suisse. A essayer avant de reprendre la télécabine pour Kriens où vous attend un bus pour Lucerne.

Sensazioni sublimi

Con i suoi 2132 m il Pilatus svetta sulla Svizzera centrale: con il bel tempo si ammirano 73 cime alpine. E a chi si vuol concedere un viaggio suggestivo fin lassù, non resta che prenotare il «Golden tour». Al tranquillo battello a vapore da Lucerna ad Alpnachstad segue la più ripida cremagliera del mondo, che s'inerpica quasi perpendicolare fino in vetta al Pilatus. Che sia una breve gita sul «monte del drago» o un'escursione più lunga, il panorama è gratis e per tutti. Sono 900 specie vegetali da scoprire, e con un po' di fantasia, tra le rocce si può intravedere anche un drago. Sull'altro versante è d'obbligo un giro sulla più lunga pista estiva per slittini della Svizzera, prima di prendere la funivia per Kriens e poi il bus per Lucerna.

Thront hoch über Luzern: der «Drachenberg» Pilatus (hinten).

Mt. Pilatus, the "dragon mountain" (in the background), soars high above Lucerne.

La «montagne du dragon», le Pilate (à l'arrière) trône au-dessus de Lucerne.

Troneggia sopra Lucerna: il «monte del drago» Pilatus (sullo sfondo).

Luzern weiss zu gefallen: Gäste aus der ganzen Welt besuchen die historische Kapellbrücke und das neue Kultur- und Kongresszentrum des Architekten Jean Nouvel.

Lucerne knows how to seduce! Visitors from all over the world flock to the historic Chapel Bridge and Jean Nouvel's new Culture and Congress Centre.

Lucerne séduit: des hôtes du monde entier visitent son historique pont de la Chapelle et son nouveau centre de culture et des congrès de l'architecte Jean Nouvel.

Lucerna sa come sedurre: ospiti da tutto il mondo visitano la storica Kapellbrücke e il nuovo Centro culturale e dei congressi dell'architetto Jean Nouvel.

Spektakulär in der «Eselwand»: die 1889 eröffnete Bergbahn zum Pilatus Kulm. Mit einer Steigung von 48 Prozent gilt sie bis heute als steilste Zahnradbahn der Welt.

Opened in 1889, the world's steepest cogwheel railway to Pilatus Kulm travels spectacularly across the "Eselwand" cliff face at a gradient of more than 48 per cent.

Spectaculaire paroi «Eselwand»: Inauguré en 1889 et avec une pente de 48 pour cent – aujourd'hui encore le chemin de fer à crémaillère le plus raide du monde.

Spettacolare e perpendicolare: il trenino del Pilatus Kulm, inaugurato nel 1889. Con una pendenza del 48 percento è ancora una delle più ripide cremagliere al mondo.

An klaren Tagen lohnt es sich, genau hinzusehen: Über der wunderbaren Wasserwelt des Vierwaldstätter- sees reihen sich 73 Berggipfel aneinander.

On clear days, admire the spectacular views of the 73 mountain peaks rising up high above Lake Lucerne.

A admirer par temps clair: les 73 sommets qui dominent l'incomparable lac des Quatre-Cantons.

Nelle giornate più limpide, uno sguardo impagabile: sopra il magnifico Lago dei Quattro Cantoni 73 vette montane si allineano una dopo l'altra.

Muotatal

Die Höhlentour

Wer hier ohne Guide abtaucht, geht schnell verloren: Mit 190 Kilometern belegt das Hölloch Platz vier auf der internationalen Höhlenskala. Da würde Bergbauer Alois Ulrich staunen, der 1875 mitten in der Muotataler Karstlandschaft den ersten Eingang fand und sich im Bauch des Berges umzusehen begann. Heute begleiten professionelle Führer die Besucher sicher vom Hölloch-Zentrum ob Schwyz in die sechs Grad kalte Unterwelt mit ihren fantastischen Felsgebilden, Versteinerungen und Hallen. Mit mehr Sonnenschein dürfen jene rechnen, die sich einer Urwald-Exkursion in den tiefer gelegenen Teil des Karstgebiets anschliessen: in den Bödmerenwald. Mit 600 Hektaren ist er der grösste Fichtenwald Westeuropas – und ein starkes Stück archaische Urschweiz.

Cave tour

Try this one without a guide and you will easily get lost! With 190 kilometres of caves, Hölloch is 4th on the international cave ratings list – something which would surprise mountain farmer Alois Ulrich, who found the first entry hole in the middle of the Muota Valley karst rock formations and began the first explorations way back in 1875. Today, professional guides take visitors from the Hölloch centre above Schwyz into the chilly underworld (6 °C) with its fantastic rock formations, fossilizations and caverns. You can count on a little more sunshine during a "jungle excursion" into the Bödmeren Forest in the lower part of the karst area. Also a record-holder, its 600 hectares are home to Western Europe's largest spruce forest and constitute a large piece of original Switzerland!

Circuit des grottes

Toute personne qui s'aventurerait ici sans guide, serait vite désorientée: avec leurs 190 kilomètres de galeries, les grottes de Hölloch occupent le quatrième rang mondial. Ce qui ne manquerait pas d'étonner le fermier Alois Ulrich qui découvrit la première entrée en 1875 au cœur du paysage karstique du Muotatal et commençat son exploration. Aujourd'hui, près de Schwyz des guides professionnels accompagnent en toute sécurité les visiteurs. Dans cet univers où la température n'excède pas 6 °C, on peut y découvrir des formations géologiques, des pétrifications et des cavernes. Pour davantage de soleil, prévoyez une excursion dans la forêt primitive de Bödmeren, au plus profond de la région karstique. Avec ses 600 hectares, cette forêt est la plus importante forêt de sapins d'Europe de l'Ouest et couvre une bonne partie de la Suisse archaïque.

Il trek delle caverne

Chi si avventura senza guida, può perdersi: con i suoi 190 chilometri l'Hölloch occupa il quarto posto nella scala internazionale delle grotte. Il contadino Alois Ulrich, che nel 1875 fu il primo a scoprire l'accesso all'universo carsico del Muotatal e ad aggirarsi nel ventre della montagna, oggi si stupirebbe. Guide esperte accompagnano il visitatore dal centro dell' Hölloch sopra Schwyz attraverso il fresco (6 °C) universo sotterraneo tra fantastiche formazioni rocciose, concrezioni e grandi sale. Di qualche raggio di sole in più godono i partecipanti alla spedizione nella foresta vergine di Bödmeren, nella parte più interna dell'area carsica. Con 600 ettari questa è la più grande foresta di abete rosso dell'Europa occidentale: un arcaico angolo di Svizzera primordiale.

Sozusagen der Himmel im Hölloch: Diese Grotte heisst «Nirwana».

Heaven in Hölloch – this cave bears the name of "Nirvana".

Paradis au Hölloch: cette grotte s'appelle «Nirvana».

Paradiso e inferi all'Hölloch: questa grotta si chiama «Nirvana».

Meisterwerke: In der Klosterkirche Einsiedeln steht die berühmte Schwarze Madonna. Und der Hauptplatz von Schwyz gilt als schönster Barockplatz der Schweiz.

True masterpieces – the monastery church of Einsiedeln houses the famous Black Madonna, whilst Schwyz is home to Switzerland's most beautiful baroque square.

Des chefs-d'œuvre: l'église abbatiale de Einsiedeln abrite la célèbre Madonne noire tandis que la grande place de Schwyz passe pour être la plus belle place baroque de Suisse.

Capolavori: nella chiesa abbaziale di Einsiedeln spicca la celebre Madonna nera. E la piazza centrale di Schwyz è considerata la più bella piazza barocca svizzera.

Natürliche Schönheit: silbergrauer Schrattenkalk an der Westflanke der Silberen und Tropfsteingruppe im «Roten Gang» des Hölloch.

Natural beauty – silver-grey limestone on the Western edge of the Silberen, and stalactites and stalagmites in the "Red Corridor" at Hölloch.

Beauté naturelle: les roches de calcaire de la montagne de Silberen et les stalactites et stalagmites dans le «Corridor rouge» du Hölloch.

Bellezze naturali: toni grigio-argento nel calcare dei Silberen occidentali e gruppo di stalattiti e stalagmiti nel «Corridoio rosso» dell'Hölloch.

Für die Bauern des Muotatals
war er schon immer zu unwegsam:
Der Bödmerenwald ist einer der
grössten alpinen Urwälder Europas.

Even the farmers of the Muota
Valley found this forest to be almost
impassable. The Bödmeren Forest
is one of Europe's largest alpine
primeval forests.

Pour les paysans du Muotatal, elle
a toujours été impraticable – la forêt
de Bödmeren est une des forêts
primitives alpines les plus grandes
d'Europe.

Da sempre impraticabile per i
contadini del Muotatal: il bosco
di Bödmeren è una delle più grandi
foreste vergini alpine d'Europa.

Gotthard Region

Région du Gothard · Regione San Gottardo

Das Wasserschloss

Die Tremola ist keine gewöhnliche Alpenpass-Strasse, sondern kopfsteinpflasterner Teil des Mythos Gotthard – und eine Erfahrung wert: Auf der Südseite des 2100 Meter hohen Passes dreht und windet sich die alte Strasse in gemauerten Serpentinen den Berg runter, und ihr Belag verlangt jenen alles ab, die sich mit ihr messen. Vom Mythos Gotthard mit seinen legendären Verkehrs- und Wasserwegen erzählt auch das Museum beim Hospiz und das ungewöhnliche Viersternehotel La Claustra tief im Bauch des Berges. Selbst zur Wiege des Rheins ists nicht weit: Bescheiden liegt der romantische Tomasee in seiner Mulde wie ein normales Bergseelein. Dabei nimmt hier der 1320 Kilometer lange Strom seinen Anfang und macht das Gotthardmassiv zum Wasserschloss Europas.

Home to the River Rhine

No ordinary alpine pass road, the cobbled Tremola is part and parcel of the legend of the Gotthard – and one well worth discovering. On the southern side of the 2,100 m high pass, the old road winds its way down to the valley below – hairpin bend after bend, this cobbled road is a challenge for all those who dare! Find out more about the legend of the Gotthard and its roads and rivers in the museum next to the Hospiz on the pass, or in the unusual 4-star hotel La Claustra, deep down in the heart of the mountain. And the birthplace of the Rhine is also nearby – the romantic Lake Toma lies tucked away just like any other small mountain lake, yet is the start of the 1,320 km long River Rhine, making the Gotthard Massif one of Europe's most important water sources.

Le château d'eau

La Tremola n'est pas n'importe quelle route de col alpin. Avec ses pavés, elle intègre le mythe du Gothard. Une vraie expérience. C'est sur le versant sud du Gothard (2100 m) que serpente l'ancienne route du col. Son pavage est un défi pour tous ceux qui veulent s'y mesurer. Du mythe du Gothard et de ses voies de circulation et de navigation témoignent le musée de l'Hospice et, d'une manière unique, l'hôtel quatre étoiles La Claustra, construit dans le sein même de la montagne. Même le berceau du Rhin n'est pas loin: le lac Toma repose modestement dans une cuvette idyllique, à l'instar de n'importe quel autre lac. Mais c'est d'ici que le Rhin prend sa source pour s'étendre sur 1320 kilomètres et fait du massif du Gothard le château d'eau de l'Europe.

Mito e riserva idrica

La Tremola non è un valico alpino qualsiasi, ma una parte (lastricata!) del mito del Gottardo. E un'avventura imperdibile. Sul lato sud dell'omonimo passo (2100 m) l'antica strada scende a valle in serpentine murate. Il suo pavé lastricato è una sfida per chiunque. La vera leggenda del Gottardo, con le sue strade di transito e d'acqua, è conservata al Museo dell'Ospizio e – in modo del tutto singolare – all'hotel****
La Claustra, nel ventre della montagna. Le sorgenti del Reno non distano molto: il Lago Toma occhieggia, discreto e idilliaco, nella sua conca come un comune laghetto di montagna, ma non lo è. Qui infatti hanno inizio i 1320 chilometri dell'immenso corso d'acqua, che fanno del massiccio del Gottardo una vera riserva idrica europea.

Das längste Bauwerk der Schweiz: die Tremola am Gotthard.

Switzerland's longest construction – the Tremola road on Gotthard Pass.

La plus longue construction de Suisse: la route de Tremola au Gothard.

La più lunga opera stradale svizzera: la Tremola sul Gottardo.

In der Schöllenenschlucht am alten Saumpfad wurde nach einem Unwetter die Sprengibrücke wieder aufgebaut. Und auf der Tremola verkehrt die nostalgische Postkutsche – allerdings nur noch für Touristen.

The Sprengi Bridge on the old trading route through the Schöllenen Gorge was rebuilt after bad weather. Tourists can still enjoy the Tremola road in a nostalgic post carriage.

Le pont Sprengi dans la gorge de Schöllenen a été rénové après une tempête. Et c'est sur la route de Tremola que circule encore la diligence postale – uniquement pour les touristes.

Nella gola di Schöllenen, lungo la vecchia mulattiera, è stato ricostruito il ponte di Sprengi; mentre sulla Tremola circola la nostalgica carrozza postale. Ma solo per i turisti.

142

Wer würde das vermuten: Im
Tomasee am Fuss des Piz Badus
entspringt der Vorderrhein.

Peaceful Lake Toma at the foot
of the Piz Badus is the source of
the mighty Rhine.

Qui l'eut cru? Le Rhin antérieur
prenant sa source dans le lac Toma,
au pied du Piz Badus.

Chi lo sospetterebbe? Il Lago
Toma, ai piedi del Piz Badus, è la
culla del Reno anteriore.

Von der Wiege des Rheins bis zur
Mündung bei Rotterdam in die Nord-
see legt der Strom 1320 Kilometer
zurück.

From the birthplace of the Rhine to
its end in the North Sea at Rotterdam,
this mighty river covers 1,320 km.

De la source du Rhin à son em-
bouchure dans la mer du Nord à
Rotterdam: 1320 kilomètres à
travers l'Europe.

Dalle sue sorgenti alla foce nel
Mare del Nord, presso Rotterdam,
il Reno percorre 1320 km.

Das Wasserschloss Europas:
Tiefengletscher am Galenstock
und Gotthardsee auf der Passhöhe.

A true source of water – the Tiefen
Glacier on the Galenstock and the
Gotthard Lake on the pass.

Le château d'eau d'Europe: le glacier
au Galenstock et le lac du Gothard
sur les hauteurs du col.

Riserva idrica europea: il ghiacciaio
di Tiefen sul Galenstock e il lago sul
Passo del Gottardo.

Tiefengletscher im Albert-Heim-
Gebiet: sagenumwoben und bekannt
für seine mystischen Stimmungen.

The Tiefen Glacier in the Albert-Heim
area – steeped in legend and known
for its mystical aura.

Le glacier du Tiefen dans la région
de Albert-Heim: légendaire et connu
pour son atmosphère mystique.

Il ghiacciaio del Tiefen nella zona di
Albert-Heim: misteriosa et celebre
per le sue atmosfere mistiche.

Monte Tamaro – Monte Lema

Imposante Gratwanderung

Auf dem Felsvorsprung führt ein Steg mitten in den Himmel – und zur Kapelle aus Naturstein, die so ganz und gar leicht wirkt. Stararchitekt Mario Botta beschritt auf der Alpe Foppa neue architektonische Wege und schuf einen geradezu himmlischen Ausgangspunkt für den viereinhalbstündigen Marsch vom Monte Tamaro (1961 m) zum Monte Lema (1624 m). Als eine der schönsten Gratwanderungen der Voralpen pendelt sie zwischen Tessin und Italien und bietet beste Aussichten auf das Südtessin: vom Lago Maggiore über das Centovalli, Maggia- und Verzascatal und die Täler um Lugano bis in die Alpen, zum Monte Rosa und zum Matterhorn. Wer im einfachen Berghaus auf dem Monte Lema übernachtet, dem präsentiert sich dieses Panorama gar im roten Abendkleid.

An impressive ridge walk

On the cliff edge next to the cable car station, a small walkway appears to lead straight up into the sky, bringing you to a chapel built in natural stone which seems so solid yet so light. Up on the Alpe Foppa, star architect Mario Botta has pushed back architectonic boundaries and created a heavenly start for the 4.5-hour high level walk from Monte Tamaro (1,961 m) to Monte Lema (1,624 m). Hike along one of the most beautiful ridge walks in the foothills of the Alps, and wander in and out of the Ticino and Italy, admiring the wonderful views from Lake Maggiore across the Centovalli, of the Maggia and Verzasca Valleys and the valleys around Lugano, to the Monte Rosa and the Matterhorn. Spend a night in the guesthouse on Monte Lema and enjoy this stunning panorama at sunset.

Imposante randonnée en altitude

Sur un promontoire rocheux, l'Alpe Foppa, une allée mène droit dans le ciel à une chapelle construite en pierre naturelle qui paraît pourtant toute légère. Il s'agit d'une des créations majeures du maître architecte Mario Botta, point de départ de quatre heures et demie de randonnée entre le Monte Tamaro (1961 m) et le Monte Lema (1624 m). L'une des plus belles randonnées d'altitude des Préalpes entre le Tessin et l'Italie offre sur le sud du Tessin: du Lac Majeur jusqu'aux Alpes en passant par les vallées Centovalli, Maggia et Verzasca ainsi qu'autour de Lugano, vers le Mont Rosa et le Cervin. Et si vous passez la nuit dans le simple refuge sur le Monte Lema, c'est dans sa robe de soirée rouge que le panorama se présentera.

Grandioso trek in cresta

Sul bastione roccioso accanto alla stazione della funivia una passerella porta diritto in cielo... e a una cappella di pietra naturale, che pure sembra leggera. Il famoso architetto Mario Botta ha percorso sull'Alpe Foppa nuove strade artistiche e ha creato un punto di partenza davvero celestiale per l'escursione di quattro ore e mezzo dal Monte Tamaro (1961 m) al Monte Lema (1624 m). Quello che è uno dei più bei trek in cresta delle Prealpi si snoda tra Svizzera e Italia, offrendo magnifici scorci sul Ticino meridionale: dal Lago Maggiore via Centovalli, Valle Maggia, Val Verzasca e vallate del luganese fino alle Alpi, al Monte Rosa e al Cervino. E a chi pernotta nello spartano rifugio del Monte Lema questo panorama si presenterà nel rosso del tramonto.

Himmlisch: Steg zu Bottas Cappella di Santa Maria degli Angeli (Monte Tamaro).

Heavenly – the walkway to Botta's Cappella di Santa Maria degli Angeli (Monte Tamaro).

Céleste: la chapelle de Santa Maria degli Angeli, construite par Botta au Monte Tamaro.

Celestiale: la Cappella di Santa Maria degli Angeli (Monte Tamaro), opera di Botta.

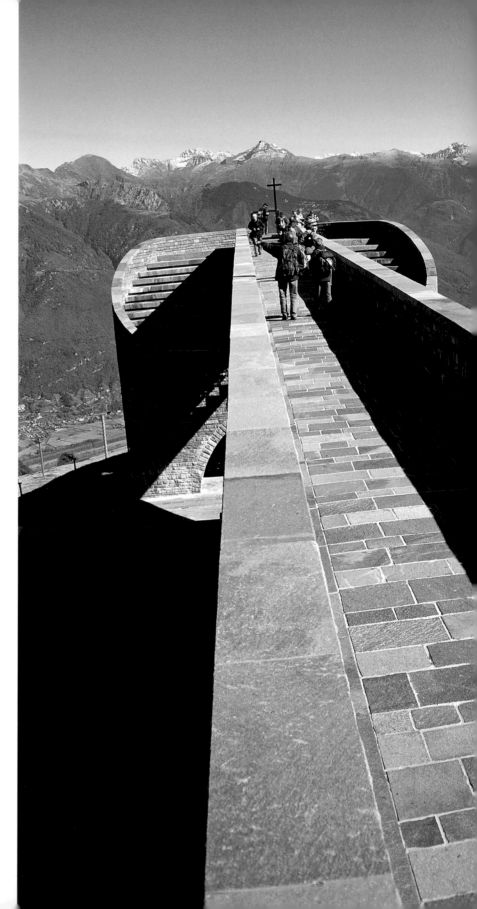

Mit der Gondel auf den Monte Lema und zu Fuss zum Monte Tamaro: Die Sicht schweift über das Südtessin bis nach Norditalien.

By cable car to Monte Lema and on foot to Monte Tamaro – the views stretch from southern Ticino to northern Italy.

En télécabine au Monte Lema et à pied au Monte Tamaro: d'ici on peut balayer du regard tout le Tessin du Sud jusqu'au nord de l'Italie.

In cabinovia sul Monte Lema e a piedi sul Monte Tamaro: lo sguardo spazia sul Ticino meridionale fino al Norditalia.

Lugano, seine Bucht und sein «Zuckerhut»: Blick vom Monte Brè zum Monte San Salvatore.

Lugano, its bay and its very own "Sugarloaf Mountain" – view from Monte Brè towards Monte San Salvatore.

Lugano, sa baie et son «pain de sucre»: depuis le Monte Brè, vue sur le Monte San Salvatore.

Lugano, la sua baia e il suo «pão de açúcar»: scorcio dal Monte Brè sul Monte Salvatore.

Valle di Muggio – Monte Generoso

Muggiotal · Muggio Valley · Vallée de Muggio

Zurück in die Zukunft

Zwischen Mendrisio und Chiasso beginnt eines der reizvollsten Täler der Schweiz. Dramatisch schieben sich die Steinschichten ineinander, schroff wie Fieberkurven. Wer gut hinschaut, findet an der Breggia kleine Fossilien: Das Wasser hat ein geologisches Profil freigelegt, das über 100 Millionen Jahre dokumentiert. Spannende Einblicke in die Vergangenheit bietet das Muggiotal auch allen, die den idealen Einstieg vom Monte Generoso her nehmen: Vor einem Jahrzehnt, als das Tal vor dem Aussterben stand, erinnerte man sich der Zeitzeugen aus dem 19. Jahrhundert und begann, Waschhäuser, Vogelfänger und Kühltürmchen zu restaurieren und Wanderwege anzulegen. Heute gilt das Muggiotal als Paradebeispiel für ein lebendiges, sympathisches Freilichtmuseum.

Back to the future

Between Mendrisio and Chiasso lies the start to one of Switzerland's most attractive valleys with dramatic layers of rock pushing right up into the sky. Look very carefully and you will find small fossils along the Breggia – water erosion has laid bare over 100 million years of geology. Arrive in the Muggio Valley from Monte Generoso and get a glimpse of times gone by. A decade ago, when the valley was on the verge of becoming deserted, it was decided to revive it based on 19th century evidence by recreating and restoring the washhouses, bird-catching and cooling towers of a bygone era, and by creating a network of trails. Today, the Muggio Valley is a wonderful example of a living and fascinating open air museum.

Retour vers le futur

Entre Mendrisio et Chiasso débute l'une des plus charmantes vallées de Suisse. Les couches géologiques se fondent les unes dans les autres, raides et impressionnantes. Et si vous cherchez bien, vous pourrez même découvrir de petits fossiles le long de la Breggia. L'eau a mis à jour un profil géologique qui nous renseigne sur plus de 100 millions d'années. La vallée de Muggio à partir du Monte Generoso nous offre également un aperçu du passé: il y a une dizaine d'années, alors que la vallée était sur le point d'être désertée, on s'est rappelé des témoins du XIXe siècle et l'on s'est mis à restaurer lavoirs, tours d'oiseleurs et de refroidissement ainsi qu'à aménager des chemins de randonnée. Aujourd'hui, la vallée de Muggio passe pour être un exemple éclatant de musée en plein air, vivant et sympathique.

Back to the future

Tra Mendrisio e Chiasso ha inizio una delle più incantevoli valli svizzere. Gli strati rocciosi si susseguono impervi e ripidi. Lungo la Breggia gli appassionati troveranno piccoli fossili: ritirandosi l'acqua ha restituito reperti geologici, che documentano una storia di oltre 100 milioni di anni. Interessanti sguardi sul passato la Valle di Muggio li offre anche a chi proviene da un'escursione sul Monte Generoso: una decina di anni fa, quando la valle si stava ormai spopolando, si sono recuperate testimonianze del XIX secolo iniziando a restaurare lavatoi, roccoli e nevere e a creare percorsi tematici. Oggi la Valle di Muggio è un esemplare e vivace museo all'aria aperta.

Basel
Zürich
St. Gallen
Luzern
Bern
Chur
Lausanne
Interlaken
St. Moritz
Brig
Locarno
Genève
Zermatt
Lugano
M. Generoso
● Valle di Muggio

Campora im südlichsten Tal der Schweiz, dem Valle di Muggio.

Campora in the Valle di Muggio, Switzerland's southernmost valley.

Campora dans la vallée la plus au sud de Suisse, la vallée de Muggio.

Campora in Valle di Muggio, la più meridionale valle elvetica.

Auf dem Abstieg vom Monte Generoso ins Muggiotal begegnet man Zeitzeugen, etwa diesem Schneekeller zur kühlen Lagerung von Milchprodukten.

On the way down to the Muggio Valley from Monte Generoso, pass signs of times gone by, such as this icehouse used to store milk products.

Lors de la descente du Monte Generoso vers la Vallée de Muggio, on rencontre des témoins du passé, comme cette petite tour de refroidissement pour entreposer au frais des produits laitiers.

Scendendo dal Monte Generoso alla Valle di Muggio s'incontrano testimoni d'altri tempi, come la nevèra per conservare al fresco latte e derivati.

Wanderwege winden sich durch eine üppige Natur und vorbei am Oratorium San Giovanni di Tur und am Kreuzweg bei Bruzella.

Paths wind through verdant countryside past the San Giovanni di Tur oratorio and the stations of the cross at Bruzella.

Des chemins de randonnées devant l'Oratorium San Giovanni di Tur et le long du chemin de croix près de Bruzella.

I sentieri si snodano in una natura rigogliosa, sfiorando l'Oratorio di San Giovanni di Tur e la Via Crucis di Bruzella.

Les Diablerets

Teuflische Kegelbahn

Man erzählt sich, die Teufel würden während Gewittern auf dem Gletscherplateau kegeln und mit Steinen nach dem 40 Meter hohen Felsturm werfen – ihn aber meist verfehlen. Kein Wunder, fürchtet man sich auf der anderen Seite: Die Alp Derborence, 1500 Meter tiefer, ist geradezu berüchtigt für Felsstürze. Doch bei Sonnenschein wird der «Glacier 3000» (auf fast 3000 m) vom teuflischen Tummelplatz zum himmlischen Erlebnis, selbst für weniger Trittsichere: Flach und ohne gefährliche Spalten zieht sich der ewige Schnee zum Horizont. Geübte Berggänger wählen den Weg zur Cabane Prarochet, wo es bei Edmée besten Johannisbergwein und Kuchen gibt. An der Saanequelle vorbei führt die Tour zum Sanetschsee, wo die Werk-Gondelbahn nach Gsteig zurück fährt.

Where demons play skittles in the snow

It is said that during bad storms the demons play skittles on the glacier plateau, throwing rocks at the 40 m high rock tower, missing it most of the time. No wonder people are nervous on the other side – Alp Derborence, 1,500 m further down, is well-known for its rock falls. However, sunshine turns the "Glacier 3000" (at almost 3,000 m) from a playground for demons to a heavenly experience, even for the less surefooted. Flat and without dangerous crevasses, the permanent snow stretches out to the horizon. Experienced hikers can continue to the Prarochet Hut and taste Edmée's fine "Johannisberg" wine and cakes – the best around! Carry on to the source of the River Saane, passing Lake Sanetsch before reaching the cable car station for the return trip to Gsteig.

Le diabolique jeu de quilles

On raconte que par temps d'orage, les diables jouaient aux quilles sur le plateau du glacier contre la tour rocheuse de 40 mètres de haut, qu'ils rataient la plupart du temps. Rien d'étonnant qu'on ne soit pas rassuré de l'autre côté: le site de Derborence, situé 1500 mètres plus bas, n'est en effet que trop connu pour ses éboulements. Toutefois lorsque le soleil brille, le «glacier 3000» (à presque 3000 m) perd tout son caractère diabolique et se transforme en véritable paradis, même pour ceux qui ont le pied moins sûr: lisse et sans crevasse dangereuse, la neige éternelle s'étend jusqu'à l'horizon. Les montagnards expérimentés choisiront le chemin menant à la Cabane Prarochet où Edmée leur fera goûter son meilleur vin «Johannisberg» et de succulents gâteaux. La promenade continue en passant par la source de la Sarine puis jusqu'au lac du Sanetsch, où la télécabine les ramènera à Gsteig.

Diavoli e birilli

Si racconta che, durante i temporali, sull'altopiano glaciale i diavoli giochino a lanciar pietre per far cascare il «birillo del diavolo» (40 m). Non a caso sull'altro versante della montagna hanno paura: l'Alp Derborence, 1500 metri più giù, è tristemente famosa per le frane. Ma col sole il «Glacier 3000» (a quasi 3000 m) da arena diabolica si trasforma in un'avventura paradisiaca, anche per chi sulla neve non si sente sicuro: piatto e privo di pericolosi crepacci, il ghiaccio eterno si allunga fino all'orizzonte. Gli escursionisti provetti raggiungono la Cabane Prarochet, dove da Edmée vengono viziati con il miglior vino Johannisberg e ottime torte. Si prosegue per le sorgenti della Sarine, il lago Sanetsch fino alla cabinovia di servizio che riporta a Gsteig.

Eindrücklich erhebt sich der Gletscherberg: die Gipfel der Diablerets von Derborence aus.

This impressive glacier-strewn mountain rises high into the sky – the peak of the Diablerets from Derborence.

La falaise du massif des Diablerets s'élève de manière impressionnante: on peut admirer son sommet depuis Derborence.

Il massiccio glaciale s'innalza imponente: le cime dei Diablerets viste da Derborence.

Auf dem Gletscherplateau auf fast 3000 Metern kegeln die Teufel und vergnügen sich die Touristen – je nach Wetterlage. In der Cabane de Prarochet kann übernachtet werden.

Depending on the weather, demons play skittles and tourists have fun up on this glacial plateau just below 3,000 m. Spend a night in the Cabane de Prarochet.

Les diables jouent aux quilles sur le plateau du glacier à presque 3000 mètres et les touristes s'amusent – en toute saison. On peut passer la nuit à la cabane de Prarochet.

Sull'altopiano glaciale, a quasi 3000 metri, i diavoli giocano a birilli e i turisti si divertono: dipende dal tempo! Alla Cabane de Prarochet si pernotta.

1714 verschüttete ein Bergsturz Weiden, Vieh und Hirten; heute ist die Alp Derborance Naturschutzgebiet und (gefahrloses) Wanderparadies.

In 1714 a rock fall buried meadows, cattle and herdsmen. Today, the Alp Derborence is a protected area and a safe paradise for walking.

En 1714, un éboulement a recouvert pâturages, bétails et bergers, mais aujourd'hui, l'alpe de Derborence est un paradis (sans danger) pour la randonnée ainsi qu'un espace protégé.

Nel 1714 una grande frana inghiottì pascoli, bestiame e pastori; oggi l'Alp Derborence è area protetta e paradiso (senza pericoli) dell'escursionismo.

Parc Jurassien Vaudois

Reizvolle Einsamkeit

Einsame Wälder, mystische Moore und zerklüftete Karstfelsen: Zwischen Givrine-Pass (1228 m) und Mollendruz-Pass (1180 m) ist der Jura noch ursprünglich und wild – ein Paradies für einsame Höhenwanderungen. Während in St-George das Naturinformationszentrum vertiefte Einblicke in die lokale Botanik gewährt, empfehlen sich auf dem Marchairuz Wanderungen auf dem Geologielehrpfad und dem Weg der Jurablumen, die im Juni und Juli besonders farbenfroh blühen. Das Hotel Marchairuz selbst bietet Unterschlupf, sollte man einen Gewittertag erwischen: Wer hier unterwegs ist, erlebt die Natur in aller Wucht – aber auch in aller Pracht. Sanfter Tourismus in ursprünglicher Natur: Der Parc Jurassien Vaudois ist ein gutes Beispiel für das Projekt «Schweiz pur».

Beautiful isolation

Unspoilt forests, mystical moors and incredible karst rock formations – between the Givrine (1,228 m) and the Mollendruz passes (1,180 m), the Jura is naturally wild and a paradise for peaceful high altitude walks. Stop off at the nature centre at St. George for more information about the local flora and fauna and take time to walk the geology and the Jura flower nature trails – particularly colourful in June and July – on the Marchairuz. Should the weather catch you out, shelter a while at the Hotel Marchairuz. In this region, you will experience the full force – and glory – of nature. Leisurely tourism in a wonderfully natural area – the Parc Jurassien Vaudois is a perfect example of the "Purely Switzerland" project.

Une solitude pleine de charme

Forêts isolées, marais mystiques et falaises karstiques fissurées: entre le col de la Givrine (1228 m) et le col du Mollendruz (1180 m), le Jura est un authentique paradis sauvage pour les randonnées d'altitude solitaires. A St-George, le nouveau centre d'information sur la nature vous permettra de mieux apprécier la botanique locale. Au Marchairuz, une randonnée sur les sentiers à thèmes «géologie» et «fleurs du Jura», aux couleurs particulièrement riches en juin et juillet, vaut le détour. Et si vous vous faites surprendre par l'orage, l'hôtel du Marchairuz sera votre refuge. Qui s'aventure à ces hauteurs se retrouve face à toute la puissance de la Nature mais aussi dans toute sa splendeur. Le tourisme écologique dans une nature intacte: le Parc Jurassien Vaudois en est un parfait exemple du projet «Suisse pure».

Fascino della solitudine

Boschi solitari, torbiere mistiche e frastagliate rocce carsiche: tra il Passo della Givrine (1228 m) e il Mollendruz (1180 m) il Giura è incontaminato e selvaggio. Un paradiso per solitarie escursioni in quota. Mentre a St-George il nuovo Centro informazioni naturalistiche offre scorci approfonditi sulla botanica locale, dal Marchairuz si consigliano escursioni lungo il Sentiero didattico geologico e la Via dei fiori del Giura, splendidi soprattutto tra giugno e luglio. L'Hotel Marchairuz è il rifugio ideale in caso di cattivo tempo: da queste parti la forza della natura si scatena in tutta la sua violenza, ma anche in tutto il suo sforzo. Un turismo a basso impatto in un'area ancora intatta: il Parc Jurassien Vaudois è un buon esempio per il progetto «Svizzera pura».

Paradies für einsame Höhenwanderungen: vallée de Joux.

Paradise for peaceful high level walks – the Vallée de Joux.

La vallée de Joux: paradis des randonneurs solitaires.

L'eldorado per escursioni solitarie in quota: vallée de Joux.

Lohnen einen Abstecher: Eisen- und Eisenbahnmuseum in Vallorbe, Juraparc mit Bären, Wölfen und Bisons, Quelle der Orbe mit spannenden Grotten.

Well worth the trip: the iron and railway museums in Vallorbe, the Juraparc with its bears, wolves and bison and the source of the River Orbe with its fascinating cave system.

Un crochet, par le musée du fer et du chemin de fer à Vallorbe, puis par le Juraparc avec ses ours, loups et bisons, et par la source de l'Orbe et ses grottes captivantes vaut la peine.

Deviazioni interessanti: Museo del ferro e della ferrovia a Vallorbe, Juraparc con orsi, lupi e bufali, sorgenti dell'Orbe con grotte suggestive.

Sanfter Tourismus in ursprünglicher Natur: Auch am Lac de Joux herrscht Romantik pur.

Sustainable tourism in natural surroundings – the Lac de Joux is truly romantic!

Le tourisme écologique dans une nature primitive: le romantisme pur domine aussi le lac de Joux.

Turismo soft in una natura intatta: anche al Lac de Joux regna il puro romanticismo.

Creux-du-Van

Bühne frei für die Natur

Gegen Abend klettern Steinböcke und Gämsen in die 160 Meter hohe Steilwand, als ob sie sich einen Logenplatz sichern wollen für das Naturschauspiel im zwei Kilometer breiten Creux-du-Van. Aber auch der Mensch fühlt sich wohl hier. Denn der Felsgürtel ist in jeder Beziehung ein «Kraftort»: Wer ihn besucht, muss zuerst etwas leisten, bevor er auftanken kann. Zwei Stunden Aufstieg sind es vom Bahnhof Noiraigue über den «Weg der 14 Kurven» zum Kraterrand, wo man mit einer Aussicht über den Neuenburgersee bis in die Berner Alpen belohnt wird. Mit dem Mountainbike gilt es, 1000 Höhenmeter von Boudry durch die Areuse-Schlucht und bis auf die Krete zu überwinden. Und auf der anderen Seite, im Val-de-Travers, locken 100 Kilometer abenteuerlichste Asphaltminen.

Let nature take the stage

Towards evening, ibex and chamois make their way up the 160-m high rock face as if looking for the best seats from which to admire the natural spectacle of the 2-km wide Creux-du-Van. And people also feel at home here – this band of rock is a place of strength in every way. To get here requires effort before admiring the well-deserved view from the top – from the 2 hours of ascent along the "path of 14 bends" from Noiraigue station to the cliff edge, with its views across Lake Neuchâtel towards the Bernese Alps, to the 1,000 m of height gained by mountain bike from Boudry through the Areuse Gorge up to the ridge. And don't forget to call in at the famous asphalt mines on the other side in Val-de-Travers, with over 100 km of fantastic tunnels.

La nature au premier plan

A l'approche de la nuit, les bouquetins et les chamois grimpent dans la paroi abrupte de 160 mètres, comme s'ils voulaient être sûrs d'être aux premières loges pour le spectacle de la nature donné dans les deux kilomètres de large du Creux-du-Van. L'homme apprécie l'endroit tout autant. La ceinture rocheuse est un «lieu de force», dans tous les sens du terme. Qui veut le visiter doit d'abord le mériter avant de se régénérer. En empruntant le «chemin des 14 virages», deux heures de grimpe séparent la gare de Noiraigue du bord du cratère, où l'on est récompensé par une vue s'étendant du lac de Neuchâtel jusqu'aux Alpes bernoises. En VTT, il s'agira de venir à bout des 1000 mètres de différence d'altitude de Boudry aux crêtes à travers les gorges de l'Areuse. De l'autre côté, le Val-de-Travers séduit ceux qui ont le goût de l'aventure par ses mines d'asphalte, un dédale de plus de 100 kilomètres.

Prima attrice: la natura

Verso sera stambecchi e camosci s'inerpicano sui 160 metri di parete rocciosa, come se volessero assicurarsi un palco per assistere allo spettacolo naturale, ampio due chilometri, del Creux-du-Van. Ma anche l'uomo qui si trova a proprio agio, perché questa cintura rocciosa è sotto ogni punto di vista un «luogo energetico»: che va guadagnato! Due sono le ore di salita dalla stazione di Noiraigue lungo la «Via delle 14 curve» fino al bordo del cratere, dove si viene ricompensati con una vista che dal Lago di Neuchâtel si perde fino alle Alpi Bernesi. In mountainbike bisogna superare 1000 metri di dislivello da Boudry via gola dell'Areuse fino alla cresta. E sull'altro versante, in Val-de-Travers, attende l'avventura di 100 chilometri di miniere d'asfalto.

Ein Amphitheater mit Weitblick: Creux-du-Van im Val-de-Travers.

Amphitheatre with a view – Creux-du-Van in the Val-de-Travers.

Un amphithéâtre avec panorama: le Creux-du-Van dans le Val-de-Travers.

Un anfiteatro con panorama: Creux-du-Van in Val-de-Travers.

Geniessen auf dem «Balkon des Jura» einen Logenplatz: Gegen Abend klettert eine ganze Steinbock-Kolonie in die Steilwand.

Enjoy a prime seat in the ¨dress circle of the Jura¨ – towards evening ibex scale the dizzy heights.

Soyez aux premières loges sur le «Balcon du Jura»: une colonie entière de bouquetins grimpe les parois escarpées à la tombée du soir.

Un posto in prima fila sul «Balcone del Giura»: verso sera un'intera colonia di stambecchi dà la scalata alla parete scoscesa.

Als ob ein Riese reingebissen hätte: Die Kante des Creux-du-Van liegt auf 1400 Metern, das Tal der Areuse 700 Meter tiefer.

Just like a giant bite out of the landscape, the edge of the Creux-du-Van is at 1,400 m whilst the Areuse Valley lies 700 m below.

Comme si un géant avait croqué dedans: la crête du Creux-du-Van se trouve à 1400 mètres, tandis que la vallée de l'Areuse est 700 mètres plus bas.

Come morsi da un gigante, gli spigoli del Creux-du-Van svettano a 1400 metri. La valle dell'Areuse si trova 700 metri più sotto.

Geheimnisvolle Wälder, moos-
bewachsene Ufer, launische Formen:
Die tief eingeschnittene Areuse-
Schlucht gibt sich ausgesprochen
zauberhaft.

Mystical forests, moss-covered
river banks, fascinating shapes –
the deep and narrow Areuse Gorge
is simply magical.

De mystérieuses forêts, des berges
envahies par la mousse: les gorges
de l'Areuse, creusées en profondeur,
donnent une impression magique.

Boschi misteriosi, rive ricoperte
di muschio, forme bizzarre: la
profonda gola dell'Areuse si mostra
in tutto il suo incanto.

Der beste Ausgangspunkt für eine
Schluchtenwanderung ist das kleine
Dorf Noiraigue: Wer die Brücke über-
quert, taucht in eine andere Welt.

The best starting point for a walk
through the gorge is the small village
of Noiraigue – cross the bridge and
dive into another world.

Le point de départ idéal pour une
randonnée dans les gorges est
Noiraigue. Traversant le pont, vous
vous retrouverez dans un autre
monde.

Il punto di partenza ideale per
un'escursione nella gola è il paesino
di Noiraigue: attraversato il ponte,
si entra in un altro mondo.

168

Emmental – Entlebuch

Rendez-vous mit Prominenz

«Schlafen wie zu Gotthelfs Zeiten» kann man im mystischen Emmental, als ob in den letzten 200 Jahren die Zeit stehen geblieben wäre. Die Bettstatt ist gefüllt mit getrocknetem Gras, die Tücher sind aus Leinen, die Möbel aus Urgrossvaters Zeiten. Licht kommt von Petrollampen, Wasser nur kalt ab Brunnen. Doch zum Frühstück im Spycher gibts Währschaftes und Selbstgemachtes, ganz wie zu den Zeiten des grossen Schriftstellers. Und auch das Entlebuch verspricht ein besonderes Rendez-vous: mit dem berühmten Naturheilarzt Sebastian Kneipp. Über dem Dorf Flühli steht die Anlage, wo Körper und Geist zur Einheit verschmelzen. Und unweit davon breiten sich die Entlebucher Hochmoore aus. Sie sind so schön, dass die UNESCO sie unter ihren Schutz gestellt hat.

Rendezvous with Gotthelf and Kneipp

In the mystical Emmental, spend a night as Gotthelf once did – as if time has stood still for the past 200 years. The bedstead is full of dry grass, the sheets are linen and the furniture is just as in great-grandfather's time. Light is provided by paraffin lamps and the water comes direct from the trough outside. Enjoy a breakfast of wholesome and homemade food, just as in the famous author's time. And in the Entlebuch, discover the natural methods of the famous Dr Sebastian Kneipp in the pools above the village of Flühli, where body and soul become one, whilst the nearby high moors of the Entlebuch are so beautiful that UNESCO has declared them a World Natural Heritage Site.

Rendez-vous avec des célébrités

Dormir comme à l'époque de Gotthelf est encore possible dans la mystique vallée d'Emmental, comme si le temps était resté figé pendant deux siècles. La litière est faite d'herbes sèches, les draps sont en lin, le mobilier et la vaisselle de l'époque de nos arrière-grands-parents. La lumière provient de lampes à pétrole et l'eau ne coule qu'à la fontaine. Savourez un petit-déjeuner fait maison exactement comme à l'époque du célèbre écrivain Jeremias Gotthelf. Mais l'Entlebuch aussi vous promet un grand rendez-vous: avec le célèbre Sebastian Kneipp, spécialiste en médecine naturelle et bien-être. Ses installations, qui permettent au corps et à l'esprit de fusionner en une seule unité, se trouvent près du village de Flühli. Non loin de là s'étendent les hauts-marais d'Entlebuch. Ils sont d'une telle beauté qu'ils ont été mis sous la protection de l'UNESCO.

Rendez-vous con celebrità

«Dormire come ai tempi di Jeremias Gotthelf»? Nel mistico Emmental è possibile, come se il tempo si fosse fermato 200 anni fa. Il materasso è di erba essiccata, i lenzuoli di lino, i mobili dei tempi dei bisnonni. La luce proviene da lampade a petrolio, l'acqua fredda dalla fontana. Ma la colazione, servita nel granaio, è a base di prodotti genuini fatti in casa come ai tempi del grande scrittore elvetico. E anche l'Entlebuch promette un rendez-vous davvero speciale: con il celebre medico naturopata Sebastian Kneipp. Sopra il paese di Flühli sorge l'omonima struttura, dove si recupera l'equilibrio tra anima e corpo. Non molto lontano si trovano le torbiere alte dell'Entlebuch, che per la loro bellezza sono state poste sotto tutela UNESCO.

Basel · Zürich · St.Gallen · Napf · Luzern · Bern · Emmental · Entlebuch · Sörenberg · Chur · Lausanne · Interlaken · St.Moritz · Brig · Locarno · Genève · Zermatt · Lugano

Sagen, Mythen und Gotthelf: Das Emmental macht von sich reden.

Legends, myths and Gotthelf – the Emmental has made a name for itself.

Des contes, des mythes et Gotthelf: l'Emmental fait parler de lui.

Leggende, miti e lo scrittore Gotthelf: l'Emmental fa parlare di sé.

Der Napf mit dem einfachen Berg-
hotel ist nur zu Fuss erreichbar.
Dafür findet man in seinen Bächen
Gold und in Trubschachen den
ältesten «Bären» der Schweiz (1356).

The Napf and its simple mountain
hotel can only be reached on foot.
Find gold in its streams and discover
the oldest "Bear" in Switzerland
(1356) in Trubschachen.

La Napf et son auberge de montagne
sont accessibles seulement à pied.
On trouve dans ses ruisseaux de l'or
et à Trubschachen le plus ancien
«ours» de Suisse (1356).

Sul Napf, con il suo spartano hotel
di montagna, si arriva solo a piedi.
Ma nei ruscelli si trova l'oro e a
Trubschachen la più antica osteria
«Bären» svizzera (1356).

Die Emmentaler Häuser ziehen
ihre Dächer tief in die Stirn und sind
oft mit prächtigen Blumen- und
Gemüsegärten geschmückt.

The houses of the Emmental hide
under low roofs and often boast
spectacular flower and vegetable
gardens.

Les maisons de l'Emmental sont
réputées pour leur architecture,
leurs splendides fleurs et leurs
magnifiques potagers.

Le case dell'Emmental hanno
tetti bassi e sono spesso abbellite
da orti e fiori variopinti.

Nirgends in der Schweiz gibt es so viele Moore: 44 Hochmoore, 61 Flachmoore und 4 Moorlandschaften prägen das Entlebuch.

Nowhere else in Switzerland has as many moors as the Entlebuch, with its 44 high and 61 low moors, and its 4 extensive moorlands.

Il n'existe nulle part en Suisse autant de marais qu'en Entlebuch: 44 hauts-marais, 61 bas-marais et 4 paysages marécageux.

Il record svizzero delle torbiere: 44 torbiere alte, 61 torbiere basse e 4 paesaggi palustri plasmano l'Entlebuch.

Zur UNESCO-geschützten Biosphäre Entlebuch gehört auch das Karstgebirge Schrattenfluh.

The UNESCO-protected Entlebuch biosphere also contains the Schrattenfluh karst rock formations.

La montagne de karst Schrattenfluh fait aussi partie de la biosphère Entlebuch, protégée par l'UNESCO.

Nella Biosfera UNESCO dell'Entlebuch rientra anche l'area carsica di Schrattenfluh.

Oberhasli – Rosenlaui

Seilschaft für Schwindelfreie

102 Meter schwankende Bretter und Seile, darunter 70 Meter nichts bis zum eisgrünen Wasser des Triftsees: Vor der höchstgelegenen Hängeseilbrücke Europas, nach nepalesischem Vorbild konstruiert, kommen selbst routinierte Berggänger ins Staunen. Doch der abenteuerliche Weg über den Abgrund lohnt sich: Dank der Brücke ist die Trifthütte in nur drei Stunden erreichbar. Und bis zur Brücke sinds auch nur 90 Minuten, wenn man an der Sustenpassstrasse die Luftseilbahn der Kraftwerke Oberhasli benützt. Vorfreude herrscht auf den nächsten Tag und den Ausflug ins wildromantische Rosenlaui-Tal, wo die berühmten Reichenbachfälle donnern (in welchen Sherlock Holmes in «Der letzte Fall» ums Leben kam) und das historische Hotel nostalgischen Charme verströmt.

Are you up to it?

102 metres of swaying planks and ropes, hanging 70 metres above the icy green waters of Lake Trift – even the most experienced of climbers will pause a while to admire Europe's longest rope suspension bridge, inspired by the traditional bridges of Nepal. For those that dare, a trip across is well worth it – as a result, the Trift Hut can now be reached in just 3 hours. Take the Oberhasli power station cable car from the Susten Pass road, to reduce the hike to the bridge down to just 90 minutes. A trip into the romantically wild Rosenlaui Valley is also cause for great excitement. Home to the famous Reichenbach Falls where Sherlock Holmes supposedly lost his life in "The Last Case", the valley's historical hotel lives and breathes nostalgic charm.

Cordée pour sensations fortes

102 mètres de planches et de corde se balançant au-dessus de 70 mètres de vide et d'où l'on aperçoit le vert glacé du lac de Trift. Même les alpinistes confirmés sont impressionnés à la vue du plus long pont suspendu d'Europe, construit sur le modèle népalais. Mais l'aventure en vaut la peine: le pont permet d'atteindre le refuge de Trift en trois heures seulement. Si l'on emprunte le funiculaire de la centrale hydraulique de l'Oberhasli sur la route du col du Susten, 90 minutes suffisent à rejoindre le pont. L'excursion du jour suivant permet de goûter pleinement le charme sauvage et romantique de la vallée de Rosenlaui. Là grondent les célèbres chutes du Reichenbach (où Sherlock Holmes perdit la vie dans «La dernière chute»). C'est également là que l'hôtel historique de Rosenlaui exerce son charme nostalgique.

Una vertigine di funi

102 metri di assi e funi oscillanti e, sotto, 70 metri di vuoto fino al verde ghiaccio del Triftsee: davanti al più lungo ponte tibetano d'Europa, costruito secondo modelli himalayani, anche i montanari esperti restano a bocca aperta. Ma l'avventura vale la pena: grazie al ponte il rifugio del Trift si raggiunge in sole tre ore. E fino al ponte ci vogliono 90 minuti, se lungo la strada del Sustenpass si utilizza la funivia della centrale elettrica di Oberhasli. Brividi ed emozione anche il giorno successivo, per la gita nella romantica e selvaggia valle di Rosenlaui: qui tuoneggiano le celebri cascate di Reichenbach (dove trova la morte Sherlock Holmes in «L'ultima avventura»), mentre lo storico hotel emana fascino e nostalgia.

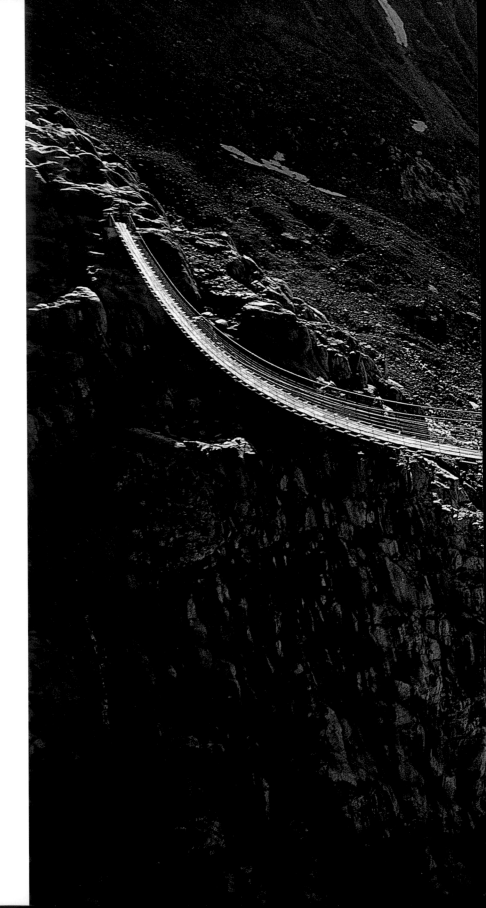

Die höchstgelegene Hängebrücke Europas bringt die Bergwanderer von der Windegg- zur Trifthütte.

Hikers can cross from Windegg to the Trift Hut via Europe's highest suspension bridge.

Le plus haut pont suspendu d'Europe conduit les randonneurs de Windegg à la cabane de Trift.

Il più elevato ponte sospeso d'Europa conduce gli escursionisti dal rifugio Windegg al rifugio Trift.

Der Steingletscher an der Sustenpassstrasse ist schnell erreicht.
Für den Triebtenbach beim Grimselsee braucht man etwas länger.

The Stein Glacier on the Susten
Pass road is easy to reach, whilst the
Triebtenbach near the Grimselsee
requires a little more time.

Le glacier de Stein (Steingletscher)
peut être atteint très rapidement
par le col du Susten. Pour atteindre
le Triebtenbach près du lac Grimsel
il faut plus de temps.

Il ghiacciaio di Stein si raggiunge
dalla strada del Sustenpass.
Per il ruscello Triebten, presso il
Grimselsee, ci vuole di più.

Wenn Wolken zwischen den Gipfeln
kleben und die Sonne durchbricht,
scheint der Grimselsee zu brennen.

When clouds gather between the
mountain peaks and the sun shines
through, the Grimselsee appears
as if on fire.

Lorsque les nuages s'accrochent
entre les sommets et que le soleil
les perce, le lac Grimsel semble
être en feu.

Quando le nuvole s'impigliano tra
le cime e il sole si apre un varco,
il Grimselsee appare in fiamme.

Die Engelhörner rücken über dem Chaltenbrunner Hochmoor besonders anmutig ins Bild. Geradezu kitschig schön gibt sich die Grimsel-Gebirgskette im Oberaargebiet.

The Engelhörner rise gracefully behind the Chaltenbrunner high moor. Just as picturesque are the Grimsel mountains in the Oberaar region.

Les Engelhörner se présentent grâcieusement derrière le marais de Chaltenbrunnen. Dans la région d'Oberaar, les montagnes du Grimsel apparaîssent d'une grande beauté.

Sopra la torbiera alta di Chaltenbrunnen gli Engelhörner rubano la scena. E la catena del Grimsel, nell'Oberaar, mostra una bellezza quasi kitsch.

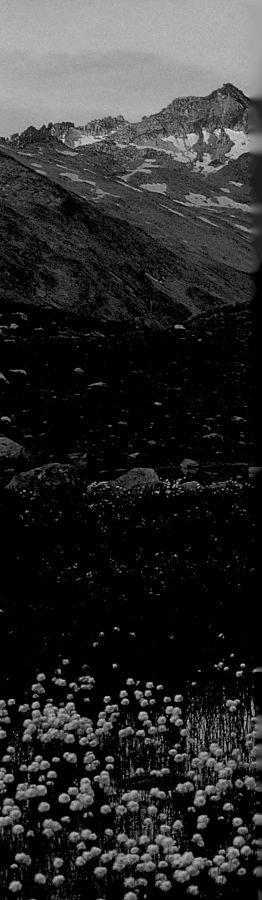

Wie ein Gemälde: Rosenhorn mit
Rosenlauigletscher (links), Wellhörner und Wetterhorn.

A perfect alpine picture – the Rosenhorn with the Rosenlaui Glacier
(to the left), Wellhörner and the
Wetterhorn.

Une peinture d'une montagne:
le Rosenhorn avec le glacier de
Rosenlaui (à gauche), les Wellhörner
et le Wetterhorn.

Una montagna da cartolina: il
Rosenhorn con ghiacciaio di Rosen-
laui (a sinistra), Wellhörner e
Wetterhorn.

Schweizer Alpenpässe

Swiss Alpine Passes · Les cols alpins suisses · Passi alpini svizzeri

Einsame Höhepunkte

Jetzt zieht es uns hoch hinaus! Setzen wir uns ins Auto oder aufs Motorrad, peilen eine der 80 Passstrassen an und erleben etwas vom Überraschendsten, was der Schweizer Sommer zu bieten hat: Hinter jeder Kurve warten noch dramatischere Felsformationen, noch eindrücklichere Gletscherzungen und ein Himmel, der weiter nicht sein könnte. Auch das öffentliche Postauto – eine Institution! – nimmt es mit den Serpentinen auf und überquert höchste Alpenpässe wie Simplon, Pillon, Grimsel, Klausen und Julier. Und über den legendären Furkapass (2431 m) zuckelt sogar eine Dampflok. Weit über 80-jährig, zieht sie sorgfältig restaurierte Nostalgiewaggons durch die grandiose Landschaft und erinnert charmant an die bahntechnischen Pionierleistungen der Schweiz.

Just that little bit different ...

The mountains await you! Jump into your car or onto your motorbike, set your course for one of Switzerland's 80 mountain pass roads and enjoy one of the most wonderful experiences of summer in Switzerland, with dramatic rock formations, stunning glaciers and an endless sky around every corner. Take a ride on one of the public post buses – a truly Swiss institution! – and discover the amazing hairpin bends of the Simplon, Pillon, Grimsel, Klausen and Julier high alpine passes. How about a ride on a steam train over the legendary Furka Pass (2,431 m)? Over 80 years old, the painstakingly restored nostalgic carriages take you through stunning landscapes – a great way to relive the pioneering achievements of Switzerland's railway engineers!

Les points culminants isolés

Ils nous entraînent encore là-haut! Asseyons-nous dans une auto ou sur une moto et empruntons une des 80 routes de col et vivons une des aventures les plus surprenantes que l'été suisse puisse nous offrir: après chaque virage, des formations rocheuses aux formes dramatiques ou encore des langues de glacier des plus impressionnantes nous attendent ainsi qu'un ciel visible jusqu'à l'horizon. Le transporteur public, le car postal – une institution! – se faufile et traverse aussi les cols alpins les plus hauts, tels que le Simplon, le Pillon, le Grimsel, le Klausen ou le Julier. Et même une locomotive à vapeur serpente par le légendaire col de la Furka (2431 m). Des wagons nostalgiques, datant d'il y a plus de 80 ans, ont été restaurés avec soin et ils traversent le paysage grandiose et nous rappellent de manière charmante les pionniers des chemins de fer de montagne en Suisse.

Sommità solitarie

Pronti per un'avventura in quota? Saliamo in auto o in moto, perlustriamo una delle 80 strade di valico e scopriamo quanto di più sorprendente può offrirci l'estate svizzera: dietro ogni curva ci attende una formazione rocciosa ancora più suggestiva, lingue glaciali ancora più imponenti e un cielo ineguagliabile. Anche gli autopostali pubblici – un'istituzione! – sfidano strade a serpentina e superano i più elevati passi alpini come Sempione, Pillon, Grimsel, Klausen e Julier. E sul mitico Passo del Furka (2431 m) s'inerpica addirittura una locomotiva a vapore. Ultra ottantenni, i suoi nostalgici vagoni sfilano attraverso un paesaggio grandioso e ricordano i pionieristici capolavori d'ingegneria ferroviaria della Svizzera.

Legendär: Postauto am Oberen Grindelwaldgletscher, auf der Fahrt von Meiringen über die Grosse Scheidegg.

Legendary – Swiss: post bus by the Upper Grindelwald Glacier, on its way from Meiringen over the Grosse Scheidegg.

Légendaire: le car postal près du glacier de Grindelwald, sur la route de Meiringen qui passe par la Grosse Scheidegg.

Mitico: l'autopostale sul ghiacciaio superiore di Grindelwald, nel tragitto da Meiringen via Grosse Scheidegg.

Grosse, stille Einsamkeit: Hotel
Belvédère und Rhonegletscher am
Furkapass.

Perfect solitude – the Hotel
Belvédère and the Rhone Glacier
on the Furka Pass.

Solitude grandiose: l'hôtel Belvédère
et le glacier du Rhône au col de
la Furka.

Il suono del silenzio: Hotel
Belvédère e ghiacciaio del Rodano
al Furkapass.

Als es noch keinen Tunnel durch
die Furka gab, gings mit Volldampf
über den Pass.

Before the tunnel was built through
the Furka, it was full steam ahead
over the pass.

Avant la construction du tunnel
de la Furka, on traversait le col à
toute vapeur.

Quando non c'era ancora il tunnel,
si valicava il Furkapass a tutto vapore.

Heute verkehrt der historische Zug
der Dampfbahn Furka-Bergstrecke
wieder durch die üppigen Bergerlen
am Langisgrat.

Today, the historic Furka steam
train chugs its way once more
between the verdant mountain
alders on the Langisgrat.

Le train à vapeur historique de la
Furka circule aujourd'hui à travers
les buissons d'aune de montagne,
au Langisgrat.

Oggi lo storico treno a vapore
della Ferrovia del Furka s'inerpica
di nuovo tra i frondosi ontani alpini
del Langisgrat.

Mit 678 Metern die Brücke mit der grössten Spannweite der Schweiz: Die Ganterbrücke überquert s-förmig das tiefe Gantertal am Simplonpass.

At 678 metres, the s-shaped Ganter Bridge has the largest span in Switzerland and crosses the deep Ganter Valley on the Simplon Pass.

Le pont avec la plus grande envergure de Suisse mesure 678 mètres: le pont de Ganter, en forme de S, traverse la profonde vallée de Ganter au col du Simplon.

Con i suoi 678 metri è il ponte più ampio della Svizzera: la Ganterbrücke supera il profondo Gantertal presso il Passo del Sempione.

Freilichtmuseum Ballenberg

Swiss Open Air Museum · Musée suisse de l'habitat rural · Museo svizzero all'aperto

Blick in die Vergangenheit

Hoch über dem Brienzersee überlebt die Geschichte: Über 100 markante, alte Häuser aus fast allen Schweizer Kantonen wurden in Einzelstücke zerlegt und hier auf dem Ballenberg originalgetreu wieder aufgebaut. Mit ursprünglich bewirtschafteten Feldern, traditionellem Handwerk wie Klöppeln, Schmieden und Korben, und 250 Bauernhoftieren dreht das quirlige Freilichtmuseum das Rad der Zeit um Jahrhunderte zurück und präsentiert auf dem 660 000 Quadratmeter grossen Gelände viel Wissenswertes über Brauchtum und Lebensweisen in der Schweiz. Mit speziellen Veranstaltungen wie dem Waschtag, dem Herbstmarkt oder dem Alpaufzug lässt der Ballenberg verloren gegangene bäuerliche Bräuche und Feste aufleben und garantiert eindrückliche Einblicke in die Vergangenheit.

A journey back in time

High above Lake Brienz, history lives on. Over 100 typical old houses from almost all of the Swiss Cantons have been painstakingly dismantled and moved to Ballenberg, where they have been rebuilt with careful attention to authentic detail. With fields traditionally farmed, demonstrations of traditional handicrafts such as lace and basket making and metal forging and 250 farm animals, travel back in time in this 660,000m^2 lively open-air museum. Discover life and customs of Switzerland as it was centuries ago, and enjoy special events at first hand, such as washday, the autumn market or taking the cows up to the alp. Almost forgotten traditions and celebrations are brought back to life in a memorable look back at the past.

Vision du passé

Au-dessus du lac de Brienz, l'histoire survit: plus de 100 anciennes fermes typiques provenant de presque tous les cantons suisses ont été morcelées, puis fidèlement reconstruites ici, au Ballenberg. Le musée en plein air remonte la roue du temps, jusqu'à des siècles en arrière, avec ses 250 animaux de la ferme, ses champs aménagés à l'ancienne et ses démonstrations d'artisanat traditionnel, tels que l'utilisation du fuseau et de la forge ainsi que le tressage du panier. Sur son terrain de 66 hectares, le musée met en avant beaucoup d'intéressantes traditions et modes de vie de la Suisse. Avec des manifestations spéciales comme la journée de la lessive, le marché d'automne ou encore la montée à l'alpage, le Ballenberg permet de faire revivre d'anciennes coutumes et fêtes paysannes oubliées et il garantit un aperçu impressionnant du passé.

Uno sguardo al passato

Sopra il Lago di Brienz la storia sembra essersi fermata: oltre 100 stupefacenti case antiche di quasi tutti i Cantoni svizzeri sono state smontate e ricostruite, pezzo per pezzo e con completa fedeltà all'originale, qui sul Ballenberg. Con i campi coltivati in modo tradizionale e l'artigianato tipico (dal tombolo alla fucina e ai cesti di vimini), oltre ai 250 animali da cortile, nel vivace museo etnografico all'aperto il tempo sembra essersi arrestato secoli fa. Su un'area di 660 000 mq si apprendono nozioni interessanti sulla Svizzera antica. Grazie a eventi speciali come il Giorno del bucato, il Mercato autunnale o la Salita all'alpeggio Ballenberg richiama in vita feste e costumi contadini ormai perduti, regalando uno sguardo privilegiato sul passato.

Ermöglicht muntere Einblicke in die Vergangenheit: Freilichtmuseum Ballenberg bei Brienz.

Enjoy a lively trip back to the past at the Open Air Museum Ballenberg near Brienz.

Pour allégrement permettre une meilleure connaissance du passé: le Musée suisse de l'habitat rural Ballenberg à Brienz.

Il Museo svizzero all'aperto del Ballenberg, presso Brienz, regala allegri scorci sul passato.

Diese Region schreibt Geschichte(n): Die Brienz Rothorn Bahn, damals höchste Zahnradbahn Europas (1892), und die Giessbachfälle beim historischen Grandhotel Giessbach.

A region full of history – the Brienz Rothorn Railway, once Europe's highest cogwheel railway (1892), and the Giessbach Falls next to the historical Grandhotel Giessbach.

Cette région inspire: le train de Brienz Rothorn, autrefois le plus haut train à crémaillère d'Europe (1892), et les chutes de Giessbach près de l'historique Grandhotel de Giessbach.

Una regione che scrive la/e storia/e: la Ferrovia Brienz Rothorn, ai tempi più alta cremagliera d'Europa (1892), e le cascate del Giessbach presso l'omonimo e storico hotel.

Das Freilichtmuseum Ballenberg trägt nicht nur Sorge zu alten Bauten. Es präsentiert auch altes Handwerk und Brauchtum – in einer sympathischen, modernen Art.

The Ballenberg open-air museum not only aims to preserve old buildings, but also to present handicrafts and customs in an appealing and modern fashion.

Le musée en plein air du Ballenberg ne veille pas seulement aux anciens habitats. Il révèle aussi l'artisanat et les mœurs de l'ancien temps – d'une manière sympathique et moderne.

Il Museo all'aperto di Ballenberg non si cura solo degli edifici antichi. Presenta anche artigianato e tradizioni del passato in maniera simpatica e moderna.

Reisetipps

Schweizerischer Nationalpark
Swiss National Park
Parc National Suisse
Parco Nazionale Svizzero

Zugang in den Nationalpark zu Fuss ab Scuol/Val Minghèr, Zernez/Val Cluozza, von der Ofenpassstrasse oder von Süden ab Müstair/Val Mora.
Im Parkgebiet dürfen die markierten Wege nicht verlassen werden; kein Camping; Hunde nicht erlaubt.
Mehrtageswanderer und Interessierte an der grossen Biketour rund um den Park erkundigen sich bei den Tourismus-Büros in Scuol oder Müstair.
Themenweg am Ofenpass (geeignet für Kinder). Viele Informationen über den Park im «Nationalparkhaus» in Zernez.
Unterkunft im Unterengadin, Val Müstair, am Ofenpass und in der Cluozza-Hütte.

Aletschgletscher
Aletsch Glacier
Glacier d'Aletsch
Ghiacciaio dell'Aletsch

Ausgangsorte sind Brig und Fiesch; in unmittelbarer Nähe von Gletscher und Aletschwald befinden sich die Ferienorte Blatten/Belalp, Riederalp, Bettmeralp, Fiescheralp und Breiten. Bergbahnen führen zu den schönsten Panoramapunkten.
Viele Wandermöglichkeiten im ganzen Gebiet sowie geführte Touren über den Gletscher, oder vom Jungfraujoch bis zum Märjelensee auf dem Eis absteigend (Bergführer sehr empfohlen).
Unesco-Bergweg Bettmerhorn–Eggishorn.
Unterkunft in den Ferienorten sowie auf Belalp, Riederfurka, Märjelen, Konkordia-Hütten.

Urnersee
Lake Uri
Lac d'Uri
Lago di Uri

Südlichster Teil des Vierwaldstättersees. Attraktiver Zugang mit mehrstündiger Dampfschifffahrt ab Luzern bis nach Flüelen.
Der «Weg der Schweiz» führt rund um den Urnersee, beginnend auf dem Rütli (Schiffhaltestelle). Weg über Seelisberg (Aufstieg) nach Bauen und dem See entlang nach Flüelen; es folgt die Strecke über die historische Axenstrasse, vorbei an der Tellskapelle und hinauf nach Morschach. Die mehrtägige Rundwanderung endet in Brunnen.
Unterkunft in den Orten rund um den See (Platzangebot beschränkt).

Travel Tips

Access the National Park on foot from Scuol/Val Minghèr, Zernez/Val Cluozza, from the Ofenpass road or from Müstair/Val Mora (to the south).
Inside the park, walkers must keep to the paths; camping and dogs are not allowed.
Information about multi-day hikes and the main bike route around the park can be obtained from the tourist offices in Scuol or Müstair.
Themed trail on the Ofenpass (suitable for children). The National Park's visitor centre in Zernez is the best place for information.
Stay in the Lower Engadine or Val Müstair, on the Ofenpass or in the Cluozza hut.

Starting points: Brig and Fiesch; the holiday destinations of Blatten/Belalp, Riederalp, Bettmeralp, Fiescheralp and Breiten are all close to the Aletsch Glacier and the Forest. Mountain railways and cable cars bring you to the most beautiful panoramic viewpoints.
Many paths throughout the whole area, guided tours on the glacier, or hike down on the ice from the Jungfraujoch to the Märjelensee (mountain guide highly recommended).
UNESCO mountain trail Bettmerhorn–Eggishorn.
Stay in the holiday destinations, on the Belalp, Riederfurka, Märjelen, or in the Konkordia huts.

Most southerly tip of Lake Lucerne. Attractive journey by steamboat (several hours) from Lucerne to Flüelen.
The "Swiss Path" takes you right round Lake Uri, starting on the Rütli (boat stop). Hike up via Seelisberg to Bauen, and then along the lake to Flüelen; follow the historical Axenstrasse. Pass the Tell Chapel before climbing up to Morschach. This several day round trip ends in Brunnen.
Stay in the towns and villages along the way (limited accom.).

Conseils de voyage

Accès au Parc national à pied depuis Scuol/Val Minghèr, Zernez/Val Cluozza, depuis la route du col de l'Ofen ou au sud depuis Müstair/Val Mora.
Dans le périmètre du parc, il faut rester sur les chemins balisés; pas de camping, chiens interdits.
Pour planifier une randonnée de plusieurs jours ou emprunter le grand itinéraire VTT faisant le tour du parc, s'adresser à l'office du tourisme de Scuol ou de Müstair.
Sentier thématique au col de l'Ofen (aussi pour les enfants). Nombreuses informations sur le parc à la «Maison du Parc national» à Zernez.
Hébergement en Basse-Engadine, dans le Val Müstair, au col de l'Ofen et à la cabane Cluozza.

Points de départ: Brig et Fiesch; les stations de Blatten/Belalp, Riederalp, Bettmeralp, Fiescheralp et Breiten sont situées tout près du glacier et de la forêt d'Aletsch. Remontées mécaniques vers les plus beaux points de vue.
Nombreuses possibilités de randonnées dans toute la région ainsi qu'excursions guidées sur le glacier ou descente du Jungfraujoch au Märjelensee sur la glace (guide de montagne vivement recommandé).
Sentier alpin de l'UNSECO Bettmerhorn–Eggishorn.
Hébergement dans les stations ainsi qu'à Belalp, Riederfurka, Märjelen et à les cabanes Konkordia.

Partie la plus méridionale du lac des Quatre-Cantons. Accès: agréable croisière de plusieurs heures en bateau à vapeur de Lucerne à Flüelen.
La «Voie suisse» fait le tour du lac d'Uri depuis le Grütli (débarcadère). Parcours par Seelisberg (montée) jusqu'à Bauen pour arriver à Flüelen en longeant le lac; puis l'itinéraire emprunte la route historique de l'Axen, passe à côté de la chapelle de Tell et monte à Morschach. Le circuit de plusieurs jours se termine à Brunnen.
Hébergement dans les localités autour du lac (nombre de lits limité).

Consigli per il viaggio

Accesso al Parco Nazionale a piedi da Scuol/Val Minghèr, Zernez/Val Cluozza, dalla strada del Passo del Forno o, da sud, da Müstair/Val Mora.
Nell'area del parco è vietato abbandonare i sentieri segnati. Campeggio vietato. Cani non ammessi.
Per le escursioni di più giorni e il grande bici-tour intorno al parco: info presso gli uffici del turismo di Scuol o Müstair.
Via tematica al Passo del Forno (anche per bambini). Ulteriori informazioni sul parco presso la «Casa del Parco Nazionale» a Zernez.
Alloggi in Bassa Engadina, Val Müstair, Passo del Forno e rifugio Cluozza.

Punti di partenza: Briga e Fiesch; nelle immediate vicinanze del ghiacciaio dell'Aletsch e del suo bosco si trovano i centri turistici di Blatten/Belalp, Riederalp, Bettmeralp, Fiescheralp e Breiten. Le funivie conducono ai più bei punti panoramici. In tutta la regione.
Numerose possibilità di escursionismo, come tour guidati sul ghiacciaio o dalla Jungfraujoch fino al Märjelensee con discesa sul ghiaccio (si consiglia caldamente una guida).
Via montana UNESCO Bettmerhorn–Eggishorn.
Alloggi nei centri turistici come pure nei rifugi di Belalp, Riederfurka, Märjelen, Konkordia.

Lembo meridionale del Lago dei Quattro Cantoni. Suggestivo viaggio d'accesso su battello a vapore da Lucerna a Flüelen.
La «Via Svizzera» si snoda intorno al Lago di Uri, partendo dal Rütli (fermata battello). Percorso: da Seelisberg (salita) a Bauen e, lungo il lago, fino a Flüelen; segue il tratto della storica Axenstrasse, si passa dalla Tellskapelle per salire fino a Morschach. L'escursione di più giorni si conclude a Brunnen.
Alloggi nelle varie località lungo il lago (posti limitati).

Landeskarte 1:50 000 (swisstopo)
5017 Unterengadin/ Engiadina Bassa
www.MySwitzerland.com/1
www.nationalpark.ch

Landeskarte 1:25 000 (swisstopo)
2516 Aletschgebiet
www.MySwitzerland.com/2
www.aletsch.ch

Landeskarte 1:50 000 (swisstopo)
5008 Vierwaldstättersee
www.MySwitzerland.com/3
www.weg-der-schweiz.ch

**Verzascatal
Verzasca Valley
Val Verzasca
Valle Verzasca**

Am oberen Ende des Lago Maggiore. Die einzige Fahrstrasse ins Tal hinein zweigt bei Tenero ab. Postautoverbindungen ab Locarno und Tenero. «Sentierone», naturkundlich und kulturell interessanter Talwanderweg von Tenero oder Mergoscia durch das Tal bis Sonogno. Kleinere, hübsche Hotels; Platzangebot im Tal eher beschränkt. Locarno und Umgebung nicht weit entfernt.

At the upper end of Lake Maggiore. The only road to the valley turns off at Tenero, with post bus connections from Locarno and Tenero. "Sentierone", informative nature and cultural valley trail from Tenero or Mergoscia along the valley to Sonogno. Small and pretty hotels – limited accom. in the valley itself. Locarno and villages close by.

A l'extrémité supérieure du lac Majeur. La seule route d'accès à la vallée part de Tenero. Car postal depuis Locarno et Tenero. «Sentierone», chemin de randonnée intéressant du point de vue naturel et culturel, à travers la vallée de Tenero ou Mergoscia jusqu'à Sonogno. Jolis petits hôtels – nombre de lits plutôt limité dans la vallée. A proximité de Locarno et de sa région.

Sulla sponda superiore del Lago Maggiore. L'unica strada accessibile alle auto svolta a Tenero. Collegamenti con autopostale da Locarno e Tenero. «Sentierone»: sentiero escursionistico di interesse naturalistico e culturale da Tenero o Mergoscia, attraverso la valle, fino a Sonogno. Hotel piccoli e graziosi; l'offerta di alloggi nella valle è piuttosto ristretta. Locarno e dintorni non distano molto.

Landeskarte 1:50 000 (swisstopo) 276 Val Verzasca www.MySwitzerland.com/4 www.verzasca.ch

---

Glacier Express – Bernina Express

Expresszüge fahren von Zermatt via Brig und Andermatt nach St. Moritz. Einzelne Kurse nach und ab Chur, andere nach und ab Davos. Von Chur, Davos und St. Moritz «Bernina Express» ins italienische Tirano; täglich eine direkte Bus-Anschlussverbindung durchs Veltlin bis Lugano. Express-Züge können unterwegs bestiegen werden; Generalabonnement (GA), Tageskarten und Halbtaxabo auf Bahnstrecken gültig; Glacier Express mit Reservationsgebühr.

Express trains from Zermatt to St. Moritz via Brig and Andermatt, plus trains to and from Chur or Davos. "Bernina Express" from Chur, Davos and St. Moritz to Tirano (Italy), with daily direct bus connection through the Veltlin to Lugano. Express trains can be boarded en route; annual rail pass (GA), day tickets and half-fare card valid for rail travel; Glacier Express has a reservation fee.

Trains express de Zermatt via Brigue et Andermatt jusqu'à St-Moritz. Quelques trajets vers et depuis Coire, également vers et depuis Davos. Depuis Coire, Davos et St-Moritz «Bernina Express» jusqu'à Tirano en Italie. Tous les jours, liaison directe en bus vers Lugano à travers la Valteline. Les trains express peuvent être pris en route; abonnement général (AG), carte journalière et abonnement demi-tarif valables sur les trajets ferroviaires. Glacier Express avec taxe de réservation.

Treni espresso da Zermatt via Briga e Andermatt a St. Moritz. Corse singole da/per Coira, da/per Davos. «Bernina Express»: da Coira, Davos e St. Moritz all'italiana Tirano (o viceversa); tutti i giorni coincidenza con bus per Lugano via Valtellina. Sugli espressi si sale anche nelle stazioni intermedie. Sono validi abbonamento generale, metà-prezzo e biglietti giornalieri; prenotazione obbligatoria sul Glacier Express.

Hallwag, Schweiz Strassenkarte 1:303 000 www.MySwitzerland.com/5 www.MySwitzerland.com/13 www.glacierexpress.ch www.rhb.ch/berninaexpress www.as-verlag.ch

---

**Genfersee
Lake Geneva
Lac Léman
Lago Lemano**

Zug-, Bus- und Schiffverbindungen zwischen Lausanne und Montreux. Ausflugsbahnen: «Train de Vigne»; Blonay–Chamby; Vevey–Mont Pèlerin; Vevey–Les Pléiades; Zahnradbahn von Montreux zu den Rochers-de-Naye und mit dem «Golden Pass Express» ins Berner Oberland. Velotouren durch Rebberge des Lavaux – teils steile Passagen. Unterkunft in den Orten und entlang des Sees.

Train, bus and boat connections between Lausanne and Montreux. Excursion trains: "Train de Vigne"; Blonay–Chamby; Vevey–Mont Pèlerin; Vevey–Les Pléiades; Montreux–Rochers-de-Naye cogwheel train and the "Golden Pass Express" to the Bernese Oberland. Bike routes through the Lavaux vineyards – some sections are steep. Stay in the towns and villages along the way and on the lake shore.

Liaisons en train, bus et bateau entre Lausanne et Montreux. Lignes touristiques: «Train de Vigne»; Blonay–Chamby; Vevey–Mont Pèlerin; Vevey–Les Pléiades; train à crémaillère de Montreux aux Rochers-de-Naye et avec le «Golden Pass Express» vers l'Oberland bernois. Itinéraires cyclistes à travers les vignes du Lavaux avec parfois des passages escarpés. Hébergement dans les localités et le long du lac.

Collegamenti via treno, bus e battello tra Losanna e Montreux. Trenini turistici: «Train de Vigne»; Blonay–Chamby; Vevey–Mont Pèlerin; Vevey–Les Pléiades; cremagliera da Montreux ai Rochers-de-Naye e «Golden Pass Express» per l'Oberland Bernese. Tour in bici attraverso i vigneti del Lavaux, con qualche passaggio ripido. Alloggi nelle varie località e lungo il lago.

Landeskarte 1:50 000 (swisstopo) 262 Rochers-de-Naye www.MySwitzerland.com/6 www.MySwitzerland.com/34 www.montreux.ch

---

Gruyères

Im Freiburgerland, wo die Saane die Voralpen verlässt. Ab Autobahn in Bulle, oder Bahn von Norden oder Süden. Erlebnis Schloss und Städtchen, «Aliens» von H. R. Giger, Schaukäserei, Gastronomie und Ausflug zum Moléson-Gipfel (Luftseilbahn). Unterkunft in Gruyères oder Moléson Village; einfache Unterkunft auf dem Gipfel.

In the Pays de Fribourg, where the Saane leaves the foothills of the Alps. Take motorway to Bulle, or arrive by train (from the north or south). Discover the castle, village, H.R.Giger's "Aliens", the cheese dairy and cuisine or take a trip to the summit of the Moléson (cable car). Stay in Gruyères or Moléson village; simple accommodation at the summit.

Dans le canton de Fribourg, où la Sarine quitte les Préalpes. Accès depuis l'autoroute à Bulle ou en train en provenance du nord ou du sud. Visite du château et de la petite ville. «Aliens» de H. R. Giger, fromagerie de démonstration, gastronomie et excursion au sommet du Moléson (téléphérique). Hébergement à Gruyères ou Moléson Village; auberge au sommet offrant un confort simple.

Nella Regione di Friburgo, dove la Sarine scende dalle Prealpi. In autostrada uscita a Bulle; oppure in treno da nord o da sud. Castello e cittadella, «Aliens» di H. R. Giger, caseificio di dimostrazione, gastronomia e gita sulla cima del Moléson (funivia). Alloggi a Gruyères o Moléson Village; alloggio spartano in cima alla montagna.

Landeskarte 1:25 000 (swisstopo) 1225 Gruyères www.MySwitzerland.com/7 www.gruyeres.ch

Freiberge – Jura
Franches-Montagnes – Jura
Franches–Montagnes – Giura

Jura-Landschaft zwischen Delémont und La Chaux-de-Fonds. Dichtes Strassennetz sowie attraktives Angebot der Jurabahnen (Bahn und Bus). Benachbarte Ausflugsziele um La Chaux-de-Fonds und Le Locle: die unterirdischen Mühlen vom Col-des-Roches und Schifffahrt auf dem Lac des Brenets mit dem Saut du Doubs (Wasserfall). Unterkunft in kleinen Landgasthöfen, Campings, auf Bauernhöfen (Schlafen im Stroh) sowie in den umliegenden Städten.

Jura landscape between Delémont and La Chaux-de-Fonds. Good road, bus and rail connections (Jura Railways). Excursion destinations around La Chaux-de-Fonds and Le Locle: the underground mills of the Col-des-Roches and boat trips on the Lac des Brenets with the Saut de Doubs waterfall. Stay in small country guesthouses or on campsites and farms (sleep on straw), as well as in nearby cities and towns.

Paysage jurassien entre Delémont et La Chaux-de-Fonds. Réseau routier dense et offres avantageuses des Chemins de fer du Jura (train et bus). Buts d'excursion autour de La Chaux-de-Fonds et du Locle: moulins souterrains du Col-des-Roches et croisières sur le lac des Brenets avec Saut du Doubs (chute d'eau). Hébergement dans de petites auberges de campagne, campings, fermes (dormir sur la paille), ainsi que dans les villes environnantes.

Tratto paesaggistico del Giura tra Delémont e La Chaux-de-Fonds. Fitta rete stradale, oltre a un'interessante offerta delle Ferrovie del Giura (treno e bus). Mete d'escursione nei pressi di La Chaux-de-Fonds e Le Locle: mulini sotterranei di Col-des-Roches e gita in battello sul Lac de Brenets con il Saut du Doubs (cascata). Alloggi in alberghetti di campagna, camping, fattorie (sulla paglia), o nelle cittadine circostanti.

Landeskarte 1:50 000 (swisstopo)
222 Clos du Doubs
www.MySwitzerland.com/8
www.juratourisme.ch

Jungfraujoch

Ausgangsort ist Interlaken, der Zugang durch die tief eingeschnittenen Lütschinentäler (Auto und Bahn). Die Ferienorte Wengen und Mürren sind autofrei; Parkhäuser/Parkplätze in Lauterbrunnen resp. Stechelberg. Verbindung mit Bergbahn von Grindelwald nach Wengen über die Kleine Scheidegg, von wo die Tunnelbahn zum Jungfraujoch abfährt. Unterkunft in den Ferienorten sowie in vielen Berghotels und -hütten; kein Hotel auf Schilthorn und Jungfraujoch (ab Jungfraujoch Schneepfad zur Mönchsjoch-Hütte 1 h).

Start from Interlaken, access via the steep-sided Lütschinen Valleys (by car and rail). Wengen and Mürren holiday resorts are car free; parking available in Lauterbrunnen or Stechelberg. Mountain railway connections from Grindelwald to Wengen over the Kleine Scheidegg – starting point for the train to the Jungfraujoch. Stay in the holiday destinations or in the many mountain hotels and huts; no hotel on the Schilthorn or the Jungfraujoch (1 hr snow trail from Jungfraujoch to the Mönchsjoch hut).

Point de départ: Interlaken. Accès par les vallées profondes de la Lütschine (voiture et train). Les stations de Wengen et Mürren sont sans voitures; parkings à Lauterbrunnen ou Stechelberg. Liaison en train de montagne de Grindelwald à Wengen par la Petite Scheidegg, d'où part le tunnel ferroviaire qui mène au sommet du Jungfraujoch. Hébergement dans les stations ainsi que dans de nombreux hôtels et cabanes de montagne; pas d'hôtel sur le Schilthorn et la Jungfraujoch (depuis la Jungfraujoch, sentier enneigé jusqu'à la cabane Mönchsjoch 1 h).

Punto di partenza è Interlaken; si accede dalle profonde vallate della Lütschine (auto e treno). Le località turistiche di Wengen e Mürren sono chiuse al traffico; auto-silo e parcheggi a Lauterbrunnen o Stechelberg. Collegamento con il trenino da Grindelwald a Wengen via Kleine Scheidegg, da dove parte il tunnel ferroviario per la Jungfraujoch. Alloggi nei centri di villeggiatura, in vari hotel e rifugi di montagna. Nessun hotel su Schilthorn e Jungfraujoch (da qui sentiero nella neve per il rifugio del Mönchsjoch 1 h.).

Landeskarte 1:25 000 (swisstopo)
2520 Jungfrau Region
www.MySwitzerland.com/9
www.MySwitzerland.com/47
www.jungfrau.ch

Ebenalp – Appenzell
Ebenalp – Appenzello

Appenzell ist bester Ausgangspunkt für Ausflüge und Wanderungen im Gebiet des Alpstein. Die Luftseilbahn zur Ebenalp startet in Wasserauen hinter Appenzell, jene auf den Säntis auf der Schwägalp. Das Toggenburg hat einen Zugang vom Rheintal sowie von Nordwesten ab Wil/Wattwil. Viele Gasthöfe in den hübschen Orten; Berghäuser an Seen, auf Alpen, Pässen und Gipfeln wie Säntis, Kronberg, Schäfler oder Hoher Kasten.

Appenzell is the best starting point for trips and hikes in the Alpstein area. Cable car to the Ebenalp from Wasserauen (close to Appenzell); to the Säntis from the Schwägalp. Access the Toggenburg from the Rhine Valley, or from the north-west via Wil/Wattwil. Many guesthouses in pretty locations and mountain guesthouses on lakes, alps, passes and summits such as the Säntis, Kronberg, Schäfler or the Hoher Kasten.

Appenzell est le point de départ idéal pour des excursions et randonnées dans la région de l'Alpstein. Le téléphérique d'Ebenalp part de Wasserauen derrière Appenzell, celui du Säntis monte depuis Schwägalp. Accès au Toggenbourg depuis la vallée du Rhin ou depuis Wil/Wattwil quand on vient du nord-ouest. Nombreux petits hôtels dans de jolies localités; auberges de montagne au bord de lacs, sur des alpages, cols et sommets comme le Säntis, Kronberg, Schäfler ou Hoher Kasten.

Appenzell è punto di partenza ideale per gite ed escursioni nell'area dell'Alpstein. La funivia dell'Ebenalp parte da Wasserauen, dietro Appenzell; quella del Säntis dalla Schwägalp. Il Toggenburg si raggiunge dalla valle del Reno, come pure – da nordovest – da Wil/Wattwil. Ci sono molti alberghi nelle graziose località della zona e rifugi su laghi, alpi, passi o cime come Säntis, Kronberg, Schäfler o Hoher Kasten.

Landeskarte 1:25 000 (swisstopo)
2514 Säntis – Churfirsten
www.MySwitzerland.com/10
www.appenzell.ch

Via Spluga

Thusis ist nördlicher Zugang zu den historischen Wegstrecken des Splügenpasses. Viamala und Rofflaschluchten, Zillis, Thermalbad Andeer und Säumerdorf Splügen an Autostrasse A13 über San Bernardino. Eigentliche Splügenpassstrasse beginnt in Splügen. Interessante historische Wegstücke südlich des Passes in Italien. Unterkunft zwischen Thusis und Splügen sowie in Isola (Italien, Platz beschränkt).

Thusis is to the north of the historical Splügen Pass route. Discover the Viamala and Roffla Gorges, Zillis, Andeer thermal baths and the trading village of Splügen on the A13 over the San Bernardino Pass. Actual Splügen Pass route starts in Splügen, with an interesting historical trail south of the pass in Italy.
Stay in villages between Thusis and Splügen and in Isola (limited accom. in Italy).

Thusis est l'accès nord aux passages historiques du col du Splügen. Gorges de la Viamala et de la Roffla, Zillis, bains thermaux d'Andeer et village de muletiers de Splügen sur l'axe routier A13 par le San Bernardino. La route du col proprement dite débute à Splügen. Tronçons historiques intéressants sur le versant sud du col en Italie.
Hébergement entre Thusis et Splügen ainsi qu'à Isola (Italie, nombre de lits limité).

Thusis è l'accesso settentrionale a tratti storici della strada del Passo dello Spluga. Gole di Viamala e Roffla, Zillis, terme di Andeer e Splügen – paese di mulattieri – dall'autostrada A13 via San Bernardino. La vera strada di valico dello Spluga inizia a Splügen. Interessanti tappe storiche del tragitto a sud del Passo, in Italia.
Alloggi tra Thusis e Splügen, come anche a Isola (Italia, posti limitati).

Landeskarten 1:50 000 (swisstopo)
257 Safiental/
267 San Bernardino
www.MySwitzerland.com/12
www.viamalaferien.ch

Soglio

Bergell (Val Bregaglia) mit Soglio ist zugänglich auch mit Postauto einerseits vom Oberengadin (St. Moritz/Maloja), andererseits von Chiavenna (Italien resp. von Lugano). Eine Postauto-Linie fährt im Sommer von St. Moritz direkt nach Lugano (Palm Express; Reservation erforderlich).
Wanderung «Panoramica» ab Casaccia nach Soglio, 5 Stunden.
Unterkunft in Soglio, in den Orten des Bergells sowie in Maloja.

The Bregaglia Valley and Soglio can be accessed by post bus from the Upper Engadine (St. Moritz / Maloja), or from Chiavenna (Italy / Lugano). Direct post bus connection from St. Moritz to Lugano in summer (Palm Express; reservations required).
5-hour "Panoramica" trail from Casaccia to Soglio.
Stay in Soglio, in villages in the Bregalia, and in Maloja.

Le Val Bregaglia avec Soglio est également accessible en car postal, d'une part depuis la Haute-Engadine (St-Moritz / Maloja), d'autre part depuis Chiavenna (Italie), resp. Lugano.
En été, une ligne de car postal relie directement St-Moritz à Lugano (Palm Express; réservation obligatoire). Randonnée «Panoramica» de Casaccia à Soglio, 5 heures.
Hébergement à Soglio, dans les localités du Val Bregaglia ainsi qu'à Maloja.

La Val Bregaglia, con Soglio, si raggiunge anche in autopostale o dall'Alta Engadina (St. Moritz / Maloja), o ancora da Chiavenna (Italia; opp. da Lugano). In estate una linea di autopostali collega direttamente St. Moritz con Lugano (Palm Express; occorre prenotare). Escursione sulla «Panoramica» da Casaccia a Soglio: 5 ore.
Alloggi a Soglio, in altri centri della Val Bregaglia o a Maloja.

Landeskarte 1:25 000 (swisstopo)
1276 Val Bregaglia
www.MySwitzerland.com/14
www.bregaglia.ch

Maienfeld – Heidiland

Bündner Herrschaft und angrenzendes «Heidiland» mit Bad Ragaz nördlich von Chur, nahe Autobahnausfahrten. Bahnstationen Bad Ragaz und Maienfeld, viele Postautoverbindungen. Von Maienfeld unterschiedlich lange Wanderwege zu Heididörfli, Heidi-Museum und hinauf zur Heidi-Alp (Ochsenberg). Gegenüberliegende Talseite Bad Ragaz mit Thermen und imposanter Tamina-Schlucht.
Unterkunft in Maienfeld und Bad Ragaz.

Bündner Herrschaft and neighbouring "Heidiland" with Bad Ragaz north of Chur (nearby motorway exits). Railway stations in Bad Ragaz and Maienfeld, many post bus connections.
From Maienfeld various hiking trails to the Heidi Village, Heidi Museum and up to the Heidi Alp (Ochsenberg). On the other side of the valley, Bad Ragaz with thermal baths and the impressive Tamina Gorge.
Stay in Maienfeld and Bad Ragaz.

Seigneurie grisonne et «Heidiland» avec Bad Ragaz au nord de Coire, près des sorties d'autoroute. Gares à Bad Ragaz et Maienfeld, nombreuses liaisons en car postal.
Depuis Maienfeld, itinéraires pédestres plus ou moins longs vers le village de Heidi, le musée et l'alpage (Ochsenberg).
Sur l'autre versant de la vallée, Bad Ragaz avec ses bains thermaux et les impressionnantes gorges de la Tamina.
Hébergement à Maienfeld et Bad Ragaz.

La cosiddetta «Bündner Herrschaft» e il confinante «Heidiland» con Bad Ragaz, a nord di Coira. Uscite autostradali vicine. Stazioni: Bad Ragaz e Maienfeld; numerosi collegamenti in autopostale.
Da Maienfeld escursioni di varia durata al paesino di Heidi, al suo Museo o fino al suo alpeggio (Ochsenberg). Sull'opposto lato della valle: Bad Ragaz con le terme e l'imponente gola di Tamina.
Alloggi Maienfeld e Bad Ragaz.

Landeskarte 1:25 000 (swisstopo)
2509 Pizolgebiet
www.MySwitzerland.com/16
www.heididorf.ch
www.heidiland.ch

Allalinhorn 4027m

Jede Tour ins Hochgebirge beginnt mit guter Vorbereitung. Wer nicht selber gute Alpinkenntnisse und -erfahrung hat, nimmt sich unbedingt einen Bergführer.
Ausgangspunkt für Besteigung: Saas Fee resp. die Bergstation Mittelallalin der Metro Alpin.
Unterkunft in Saas Fee (auf Mittelallalin keine Hotelbetten).

Any trip into the high mountains must be well-prepared. Everyone apart from the most experienced should take a mountain guide.
Starting point for ascent: Saas Fee or the Metro Alpin Mittelallalin mountain station.
Stay in Saas Fee (no accommodation at the Mittelallalin).

Chaque randonnée en haute montagne doit être préparée avec soin. Si vous n'êtes pas un alpiniste expérimenté, partez avec un guide de montagne. Point de départ pour l'ascension: Saas Fee, resp. la station supérieure Mittelallalin du Metro Alpin.
Hébergement à Saas Fee (pas de lits d'hôtel à Mittelallalin).

Ogni tour d'alta montagna inizia con una buona preparazione. A chi non possiede ottime conoscenze ed esperienza alpinistica, si consiglia vivamente una guida alpina.
Punto di partenza per la scalata: Saas Fee o la stazione a monte Mittelallalin del Metro Alpin.
Alloggi a Saas Fee (non ci sono posti letto sul Mittelallalin).

Landeskarte 1:50 000 (swisstopo)
284 Mischabel
www.MySwitzerland.com/17
www.saasfee.ch

Val d'Anniviers

Der Zugang ins Val d'Anniviers ist im Rhonetal bei Sierre, in der Nähe des Pfynwaldes. Eine kleinere Zufahrtstrasse führt über Vercorin. Bei Vissoie verzweigen sich die Strassen nach St-Luc/Chandolin, Zinal und Grimentz. Gute Postautoverbindungen ab Sierre in alle Ferienorte; im Sommer bis zum Moiry-Stausee. Ausgedehnte Bergwanderungen über der Waldgrenze, Besteigungen im alpinen und hochalpinen Bereich. Bekannte Übergänge ins Val d'Hérens und ins Turtmanntal. Gute Unterkunftsmöglichkeiten in den Orten des Tales sowie in über einem Dutzend Berghütten.

Access the Val d'Anniviers from Sierre in the Rhone Valley, close to the Pfyn Forest. Take the small access road via Vercorin. At Vissoie, roads turn off to St. Luc/Chandolin, Zinal and Grimentz. Good post bus connections from Sierre to all holiday destinations; in the summer to the Moiry reservoir. Extensive mountain walks up through the forests, alpine and high mountain ascents. Classic routes to the Val d'Hérens and the Turtmann Valley. Good choice of accommodation in the villages in the valley, as well as in over a dozen mountain huts.

On accède au Val d'Anniviers depuis la région du bois de Finges, près de Sierre, dans la vallée du Rhône. Une petite route passe par Vercorin. A Vissoie se trouve la bifurcation pour St-Luc/Chandolin, Zinal et Grimentz. Bonnes liaisons en car postal depuis Sierre vers toutes les stations; en été jusqu'au barrage de Moiry. Longues randonnées de montagne au-dessus de la limite de la forêt, ascensions de sommets de moyenne et haute altitude. Itinéraires classiques vers le Val d'Hérens et la vallée de Turtmann. Bonnes possibilités d'hébergement dans les localités de la vallée ainsi que dans une douzaine de cabanes de montagne.

In Val d'Anniviers si accede dalla valle del Rodano presso Sierre, nelle vicinanze della foresta di Pfyn. Una strada d'accesso minore passa da Vercorin. A Vissoie bivio stradale per St-Luc / Chandolin, Zinal e Grimentz. Buoni collegamenti in autopostale da Sierre per tutte le località turistiche; in estate fino al lago artificiale di Moiry. Estese escursioni di alta montagna, scalate in area alpina e in quota. Celebri passaggi alla Val d'Hérens e nel Turtmanntal. Buone possibilità di pernottamento nelle località della valle e in oltre una dozzina di rifugi.

Landeskarten 1:50 000 (swisstopo) 273 Montana/ 283 Arolla www.MySwitzerland.com/18 www.sierre-anniviers.ch

Zermatt – Matterhorn
Zermatt – Le Cervin
Zermatt – Il Cervino

Um nach Zermatt zu gelangen, besteigt man in Brig/Visp den Zug oder fährt mit dem Auto nach Täsch und steigt dann in die Bahn um. Zermatt selber ist ohne Privatverkehr. Ausflüge und Panoramaaussichten auf allen Seiten des bekannten Dorfes resp. der Kleinstadt in den Bergen. Aufstieg auf die umliegenden Berge mit Bahnen oder geführt von einem einheimischen Bergführer. Unzählige Unterkunftsmöglichkeiten in Zermatt sowie in Berghäusern, Berghotels oder Hütten im Hochgebirge.

To reach Zermatt, take the train from Brig/Visp, or drive up to Täsch and then take the train – Zermatt itself is car free. Excursions and panoramic views from all sides of this famous resort. Discover the surrounding mountains by railway and cable car, or with a local guide. Choose from a wide range of accommodation in Zermatt, or stay in the mountain guesthouses, hotels or high alpine huts.

Pour aller à Zermatt, il faut prendre le train à Brigue/Viège ou la voiture jusqu'à Täsch et monter ensuite dans le train – les véhicules privés sont interdits à Zermatt. Excursions et points de vue panoramiques tout autour du célèbre village, au cœur des Alpes. Ascension des sommets environnants avec les remontées mécaniques ou en compagnie d'un guide de montagne local. Innombrables possibilités d'hébergement à Zermatt ainsi que dans des auberges et hôtels de montagne ou cabanes de haute montagne.

Per raggiungere Zermatt si sale sul treno a Briga/Visp o con l'auto si raggiunge Täsch, dove bisogna prendere il treno: Zermatt è chiusa al traffico privato. Gite e vedute panoramiche da ogni lato del celebre villaggio di montagna. Le vette circostanti si raggiungono con gli impianti di risalita, o accompagnati da una guida alpina locale. Infinite possibilità di alloggio a Zermatt, come pure in case, hotel e rifugi di montagna ad alta quota.

Landeskarte 1:25 000 (swisstopo) 2515 Zermatt – Gornergrat www.MySwitzerland.com/20 www.zermatt.ch

Pilatus
Mt Pilatus
Mont Pilate
Monte Pilatus

Ausgangsort ist Luzern. Mit dem (Dampf-)Schiff nach Alpnachstad. Die steile, spektakuläre Zahnradbahn fährt durch Bergwald und Felswände zum Pilatus Kulm. Mit Luftseil- und Gondelbahn auf der Nordseite Talfahrt nach Kriens und mit dem städtischen Bus zurück zum Bahnhof Luzern. Tour umgekehrt ebenso empfehlenswert. Kleine Rundwanderungen im Gipfelbereich oder zum Tomlishorn, dem höchsten Punkt auf dem Pilatus (35 Min.). Seilpark mit 7 Parcours auf der Fräkmüntegg für Outdoorfans, Familien, Schulen, Firmen und Vereine; Sommer-Rodelbahn. Bergrestaurants um und auf dem Pilatus. Zwei Hotels (Bellevue und Kulm) auf dem Pilatus.

Starting point is Lucerne. Take the (steam) boat to Alpnachstad. The steep and spectacular cogwheel railway will take you through mountain forests and rock faces up to Pilatus Kulm. By cable car on the north side back down to Kriens and by local bus back to Lucerne's main station. Tour highly recommended in either direction. Short round walks on the Kulm or to the Tomlishorn – the highest point on Pilatus (35 min). Fräkmüntegg rope park (7 routes) for outdoor fans, families, schools, companies and clubs; summer tobogganing run. Mountain restaurants on and around Pilatus. Two hotels (Bellevue and Kulm) on Mt. Pilatus.

Point de départ: Lucerne. En bateau (à vapeur) jusqu'à Alpnachstad. Le train à crémaillère escarpé et spectaculaire monte au sommet du Pilate traversant forêts de montagne et rochers. Descente sur le versant nord vers Kriens en téléphérique et télécabine et retour à la gare de Lucerne avec le bus urbain. Le circuit peut aussi être parcouru dans le sens contraire. Petits circuits pédestres autour du sommet ou vers le Tomlishorn, point culminant du Pilate (35 min). Parc aérien de cordes avec 7 parcours à Fräkmüntegg pour fans d'activités en plein air, familles, écoles, entreprises et sociétés; luge d'été. Restaurants de montagne autour et au sommet du Pilate. Deux hôtels (Bellevue et Kulm) sur le Pilate.

Punto di partenza è Lucerna: con battello (a vapore) fino ad Alpnachstad; la ripida e spettacolare cremagliera supera bosco e pareti rocciose fino al Pilatus Kulm. Con funivia e cabinovia dal versante nord si scende a Kriens e, con il bus locale, si raggiunge la stazione di Lucerna. Notevole anche il percorso in senso inverso. Piccola escursione ad anello nella zona della cima o al Tomlishorn, il punto più alto del Pilatus (35 min.). Parco alpinistico con 7 percorsi sul Fräkmüntegg: per fan delle attività all'aperto, famiglie, scuole, ditte e associazioni; pista per slittino estiva. Ristoranti di montagna intorno e sul Pilatus. Due hotel (Bellevue e Kulm) sul Pilatus.

Landeskarte 1:25 000 (swisstopo) 2510 Luzern – Pilatus – Rigi www.MySwitzerland.com/22 www.pilatus.ch

Muotatal

Erleben, Entdecken, Abenteuer im Muotatal: Einstieg ins Höhlensystem des Hölloch, Husky-Trekking, den Urwald erkunden, Riverrafting, geologische Exkursionen im Gebiet Silberen, Pragelpass und Glattalp; verschiedene Anbieter und Organisatoren.
Vorne im Tal, auf einer Terrasse, liegt der autofreie Ferienort Stoos mit dem Panoramaberg Fronalpstock.
Zugang ab Schwyz mit öffentlichem Bus und Privatauto. Von Glarus Zugang über die schmale Pragelpassstrasse.
Gasthäuser im Tal und auf der Glattalp sowie auf dem Stoos und auf dem Fronalpstock. Unterkunft in Alphütten.

Experiences, exploration and adventure in the Muotatal: Hölloch cave system, husky dog trekking, primeval forest, river rafting, geological excursions in the Silberen area, Pragel Pass and Glattalp (various companies organise activities).
On a high plateau at the entrance to the valley lies the car free holiday resort of Stoos, with its panoramic mountain, the Fronalpstock.
Access from Schwyz by public bus or by car. From Glarus, access via the narrow Pragel Pass road.
Guesthouses in the valley and on the Glattalp, in Stoos and on the Fronalpstock, or stay in an alpine hut.

Découvertes, activités et aventures dans le Muotatal: découverte des grottes du Hölloch, trekking avec des huskies, exploration de la forêt primitive, rafting, excursions géologiques dans la région Silberen, Pragelpass et Glattalp; divers organisateurs.
La station sans voitures de Stoos et le sommet panoramique du Fronalpstock se trouvent sur une terrasse à l'entrée de la vallée.
Accès depuis Schwyz en bus ou voiture. Depuis Glaris, accès par la route étroite du Pragelpass.
Auberges dans la vallée et à Glattalp ainsi qu'à Stoos et sur le Fronalpstock. Hébergement dans des chalets d'alpage.

Emozioni, scoperte, avventura nel Muotatal: ingresso al sistema ipogeo dell'Hölloch, sleddog, esplorazione della foresta vergine, riverrafting, escursioni geologiche nel comprensorio di Silberen, Pragelpass e Glattalp; varie offerte e organizzatori.
Nella parte anteriore della valle, su una terrazza, sorge la località turistica di Stoos con il monte-belvedere Fronalpstock.
Accesso da Schwyz con bus pubblico e auto. Da Glarus si accede attraverso l'angusta strada del Pragelpass.
Alberghi nella valle e sulla Glattalp, come anche sullo Stoos e sul Fronalpstock. Alloggi nei rifugi.

Landeskarte 1:25 000 (swisstopo)
1172 Muotatal
www.MySwitzerland.com/24
www.muotathal.ch
www.as-verlag.ch

Gotthard Region
Région du Gothard
Regione San Gottardo

Zugang zum «Wasserschloss der Schweiz» von allen Himmelsrichtungen, je nach Ziel und Wanderbedürfnis: Andermatt, Oberalppass, Sedrun, Lukmanierpass/Acquacalda, Airolo/Ritom, von der Gotthard-Passhöhe und vom Urserental (Furka).
Empfehlenswerte Querungen vom Ritomsee nach Acquacalda; südwärts vom Oberalppass zum Gotthard oder ab Gotthardpass ins Gebiet Lucendro, Rotondo und weiter nach Realp oder zur Furka.
Unterkunft in den genannten Orten sowie Berghütten wie Cadlimo, Meighels oder Rotondo.

Access Switzerland's "water stronghold" from all sides, you choose your destination and where you wish to hike: from Andermatt, the Oberalp Pass, Sedrun, the Lukmanier Pass/Acquacalda, Airolo/Ritom, from the Gotthard Pass and from the Urseren Valley (Furka).
Recommended routes: Ritom Lake to Acquacalda, south of the Oberalp Pass to the Gotthard, or from the Gotthard Pass to the Lucendro, Rotondo and further on to Realp or the Furka.
Stay in the places mentioned above or in mountain huts such as Cadlimo, Meighels or Rotondo.

On accède au «château d'eau de la Suisse» depuis toutes les directions, selon les buts et les itinéraires pédestres choisis: Andermatt, col de l'Oberalp, Sedrun, col du Lukmanier/Acquacalda, Airolo/Ritom, col du Gothard et vallée d'Urseren (Furka).
Belles traversées du lac Ritom vers Acquacalda; du versant sud du col de l'Oberalp vers le Gothard ou depuis le Gothard vers la région de Lucendro, Rotondo puis jusqu'à Realp ou à la Furka.
Hébergement dans les localités citées et dans des cabanes de montagne comme celles de Cadlimo, Meighels ou Rotondo.

Accesso alla «riserva idrica della Svizzera» da tutti i punti cardinali, a seconda della meta e delle esigenze: Andermatt, Passo dell'Oberalp, Sedrun, Passo del Lucomagno / Acquacalda, Airolo / Ritom, dal valico stradale del Gottardo e dall'Urserental (Furka).
Notevoli le deviazioni dal Lago del Ritom ad Acquacalda; dall'Oberalppass verso sud fino al Gottardo o dal Passo del Gottardo nell'area di Lucendro, Rotondo e oltre, fino a Realp o alla Furka.
Alloggi nelle località citate o in rifugi come Cadlimo, Meighels e Rotondo.

Landeskarte 1:50 000 (swisstopo)
5001 Gotthard
www.MySwitzerland.com/ 11 und 27 und 29
www.gotthard-hospiz.ch
www.claustra.ch
www.furka-bergstrecke.ch

Monte Tamaro – Monte Lema

Die Gratwanderung Monte Tamaro–Monte Lema ist in beiden Richtungen ein Erlebnis. Die Ausgangspunkte sind Rivera am Monte-Ceneri-Pass im Norden und Miglieglia im Malcantone bei Lugano im Süden. Von hier führen je auch Seilbahnen über die Waldgrenze.
Unterkunft in und um Lugano oder Bellinzona sowie im Berggasthaus auf dem Monte Lema.

The Monte Tamaro to Monte Lema ridge walk is truly wonderful in either direction. Start from the north at Rivera on the Monte Ceneri Pass or from the south at Miglieglia in Malcantone near Lugano, taking a cable car up above the treeline.
Stay in and around Lugano or Bellinzona, or in the mountain guesthouse on Monte Lema.

La randonnée sur les crêtes Monte Tamaro–Monte Lema est magnifique dans les deux directions. Les points de départ sont Rivera au col du Monte Ceneri au nord et Miglieglia dans le Malcantone près de Lugano au sud. Depuis là, des remontées mécaniques permettent de prendre de l'altitude.
Hébergement à Lugano et environs ou à Bellinzone ainsi qu'à l'auberge de montagne du Monte Lema.

L'escursione in cresta Monte Tamaro–Monte Lema è un'avventura in entrambe le direzioni. I punti di partenza sono Rivera sul Passo del Monte Ceneri a nord e Miglieglia nel Malcantone, presso Lugano, a sud. Da qui si arriva in quota anche in funivia.
Alloggi a e intorno a Lugano o Bellinzona, come pure nell'albergo di montagna sul Monte Lema.

Landeskarten 1:50 000 (swisstopo)
286 Malcantone oder
5007 Locarno–Lugano
www.MySwitzerland.com/30
www.montetamaro.ch
www.montelema.ch

Muggiotal – Monte Generoso
Muggio Valley
Vallée de Muggio
Valle di Muggio

Zugang von Süden aus dem Mendrisiotto (Strasse/Postauto) und im Norden Abstieg von Monte Generoso oder Bellavista (Bergbahn ab Capolago). Museo etnografico: Besuchsobjekte draussen in der Landschaft zwischen Monte Generoso und Morbio. Unterkunft im Mendrisiotto unten, auf dem Monte Generoso, Herberge auf Bellavista und kleines Hotel in Sagno.

Access from the Mendrisiotto in the south (car/post bus) or drop down from Monte Generoso or Bellavista to the north (train from Capolago). Museo etnografico: points of interest set in the countryside between Monte Generoso and Morbio. Stay in the Mendrisiotto, up on the Monte Generoso, in the hostel at Bellavista or in the small hotel in Sagno.

Accès depuis le Mendrisiotto au sud (route/car postal) ou descente sur le versant sud depuis le Monte Generoso ou Bellavista (train depuis Capolago). Musée ethnographique: objets à découvrir dans leur milieu naturel entre le Monte Generoso et Morbio. Hébergement en plaine dans le Mendrisiotto, sur le Monte Generoso, auberge à Bellavista et petit hôtel à Sagno.

Accesso da sud dal Mendrisiotto (strada/autopostale) e a nord discesa da Monte Generoso o Bellavista (trenino da Capolago). Museo etnografico: reperti inseriti nel paesaggio tra Monte Generoso e Morbio. Alloggi nel basso Mendrisiotto, sul Monte Generoso, ostello a Bellavista e piccolo hotel a Sagno.

Landeskarte 1:50 000 (swisstopo)
5007 Locarno – Lugano
www.MySwitzerland.com/31
www.montegeneroso.ch
www.mevm.ch
www.valledimuggio.ch

Les Diablerets

Zugang vom Pillon-Pass, mit der Luftseilbahn zum Glacier 3000. Sanetschpass erreicht man mit der Gondelbahn ab Gsteig oder auf kleiner Fahrstrasse von Conthey/Sion (im Sommer 1 Busverbindung pro Tag). Naturreservat Derborence: Zugang nur vom Wallis (schmale Bergstrasse, 1–2 Postautokurse pro Tag). Rundtour Glacier 3000–Sanetschpass–Sanetsch-Stausee (Bergwanderung teils auf Schnee, 4–5 h). Unterkunft in Berghütten wie Cabane de Prarochet oder Auberge du Barrage du Sanetsch.

Access from the Pillon Pass – take the cable car to Glacier 3000. The Sanetsch Pass can be reached by cable car from Gsteig, or via the small country road from Conthey/Sion (1 bus connection per day in summer). The Derborence nature reserve can only be accessed from the Valais (narrow mountain road, 1–2 post bus connections per day). Round route: Glacier 3000–Sanetsch Pass–Sanetsch Dam (4–5 hour mountain hike, some sections on snow). Stay in mountain huts such as the Cabane de Prarochet or the Auberge du Barrage du Sanetsch.

Accès depuis le col du Pillon, en téléphérique jusqu'à Glacier 3000. Montée au col du Sanetsch en télécabine depuis Gsteig ou par une petite route depuis Conthey/Sion (en été 1 liaison en bus par jour). Réserve naturelle de Derborence: accès seulement depuis le Valais (route de montagne étroite, 1 à 2 liaisons en car postal par jour). Circuit Glacier 3000–col du Sanetsch–barrage du Sanetsch (randonnée alpine en partie sur la neige, 4–5 h). Hébergement dans des cabanes comme celle de Prarochet ou à l'auberge du barrage du Sanetsch.

Accesso dal Passo del Pillon, in funivia fino al Glacier 3000. Il Sanetschpass si raggiunge con la cabinovia da Gsteig, o sulla piccola strada da Conthey/Sion (in estate 1 collegamento di bus al giorno). Riserva naturale di Derborence: accesso solo dal Vallese (stretta stradina di montagna, 1–2 corse d'autopostale al giorno). Tour ad anello Glacier 3000–Passo Sanetsch–lago artificiale di Sanetsch (escursione d'alta montagna in parte su neve, 4–5 h.). Alloggi in rifugi come Cabane de Prarochet o Auberge du Barrage du Sanetsch.

Landeskarte 1:25 000 (swisstopo)
1285 Les Diablerets
www.MySwitzerland.com/35
www.glacier3000.ch

Parc Jurassien Vaudois

Regionalpark zwischen Col de la Givrine und Col du Mollendruz, bis Lac de Joux. Besucherzentrum (Auskünfte) in St-George oberhalb von Rolle. Naturlehrpfad «Jurablumen und Geologie» auf dem Col du Marchairuz. Unterkunft am Lac de Joux sowie Col du Marchairuz und Mollendruz.

Regional park between the Col de la Givrine and Col du Mollendruz to the Lac de Joux. Visitor information centre in St-George (above Rolle). Jura flowers and geology nature theme trail on the Col du Marchairuz. Stay by the Lac de Joux, on the Col du Marchairuz or Mollendruz.

Parc naturel entre le col de la Givrine et celui du Mollendruz, jusqu'au lac de Joux. Centre pour visiteurs (informations) à St-George, au-dessus de Rolle. Sentier thématique «fleurs du Jura et géologie» au col du Marchairuz. Hébergement au lac de Joux ainsi qu'au col du Marchairuz et du Mollendruz.

«Parco» tra Col de la Givrine, Col du Mollendruz e Lac de Joux. Centro visitatori (info per la visita) a St-George, sopra Rolle. Sentiero didattico naturalistico «Fiori del Giura e geologia» sul Col du Marchairuz. Alloggi al Lac de Joux, al Col du Marchairuz e al Mollendruz.

Landeskarten 1:50 000 (swisstopo)
250 Vallée de Joux/
251 La Sarraz/
260 St-Cergue
www.MySwitzerland.com/36
www.parcjurassien.ch

Creux-du-Van

Creux-du-Van zwischen Neuenburgersee und Val-de-Travers; genau bezeichnet der Name den Felsabsturz im Norden Richtung Areuse. Vom Ausgangspunkt Noiraigue bis auf die Krete 2 Stunden. Weitere Ausflüge im Val-de-Travers: Areuse-Schlucht von Boudry nach Noiraigue und die Asphaltminen Travers. Unterkunft in Neuenburg, im Val-de-Travers und auf den Höhen in der Ferme du Soliat.

Between Lake Neuchâtel and the Val-de-Travers, the imposing cliffs of the Creux-du-Van are to the north towards the Areuse. Allow 2 hours from the starting point at Noiraigue to the top. Other excursions in the Val-de-Travers: Areuse Gorge from Boudry to Noiraigue, asphalt mines in Travers. Stay in Neuchâtel, Val-de-Travers and up on high in the Ferme du Soliat.

Creux-du-Van: entre le lac de Neuchâtel et le Val-de-Travers, la montagne s'est écroulée côté nord en direction de l'Areuse formant un cirque rocheux. Depuis Noiraigue jusque sur la crête: 2 heures. Autres excursions dans le Val-de-Travers: gorges de l'Areuse de Boudry à Noiraigue et mines d'asphalte de Travers. Hébergement à Neuchâtel, dans le Val-de-Travers et sur les hauteurs dans la ferme du Soliat.

Creux-du-Van, tra Lago di Neuchâtel e Val-de-Travers. Il nome indica precisamente la formazione di massi caduti a nord, in direzione Areuse. Dal punto di partenza di Noiraigue alla cresta: 2 ore. Altre escursioni in Val-de-Travers: gola dell'Areuse, da Boudry a Noiraigue, e le miniere d'asfalto di Travers. Alloggi a Neuchâtel, in Val-de-Travers e – in quota – alla Ferme du Soliat.

Landeskarte 1:50 000 (swisstopo)
5024 Neuchâtel –
Les Verrières –
La Neuveville
www.MySwitzerland.com/41
www.valdetravers.ch

Emmental – Entlebuch

Emmental/Entlebuch zwischen Bern und Luzern. Viele kleine Täler und Schluchten mit fahrplanmässigen Busverbindungen. Geeignete Ausgangspunkte: Burgdorf, Langnau, Escholzmatt und Sörenberg. Unterkunft in Landgasthöfen in den meisten Orten; viele einfache Unterkünfte auf Übergängen/Anhöhen (z. B. Napf, Lüderenalp, Moosegg) und auf Bauernhöfen.

Emmental/Entlebuch between Bern and Lucerne. Many small valleys and gorges with regular bus connections. Good starting points: Burgdorf, Langnau, Escholzmatt and Sörenberg. Stay in the country inns to be found in the towns and villages of the area, or in the many simple guesthouses up on high (e. g. on the Napf, the Lüderenalp, Moosegg), or on a farm.

Emmental/Entlebuch entre Berne et Lucerne. Nombreuses petites vallées et gorges avec des liaisons régulières en bus. Points de départ: Burgdorf, Langnau, Escholzmatt et Sörenberg. Hébergement dans des auberges de campagne dans la plupart des localités; nombreux logements simples sur les hauteurs (p. ex. Napf, Lüderenalp, Moosegg) et dans des fermes.

Emmental/Entlebuch, tra Berna e Lucerna. Numerose vallette e gole con regolari collegamenti di bus. Punti di partenza ideali: Burgdorf, Langnau, Escholzmatt e Sörenberg. Alloggi in alberghi di campagna nella maggior parte delle località; varie possibilità di sistemazione spartana su valichi e alture (per es. Napf, Lüderenalp, Moosegg) e in fattoria.

Landeskarten 1:50 000 (swisstopo) 244 Escholzmatt oder 2522 Napf (1:25 000) www.MySwitzerland.com/23 www.MySwitzerland.com/44 www.emmental.ch www.hotelnapf.ch www.biosphaere.ch

Oberhasli – Rosenlaui

Meiringen: Drehscheibe für Ausflüge ins Oberhasli. Postautos fahren Richtung Gadmen (Sustenpass), Guttannen (Grimselpass), Rosenlaui (nur Sommer) und die Luftseilbahn nach Hasliberg; Brünig-Bahnlinie. Attraktive Ausflüge mit kleinen Bergbahnen Trift (zur Hängeseilbrücke 1 h Aufstieg) und Gelmersee. Unterkunft in Dörfern des Oberhasli und in Berghütten wie Windegg, Trift und Gelmer.

Meiringen: great starting point for trips into the Oberhasli, with post buses to Gadmen (Susten Pass), Guttannen (Grimsel Pass), Rosenlaui (summer only), cable car to Hasliberg, plus the Brünig railway line. Fascinating excursions on the small Trift cable car (1 hour climb to the suspension bridge) and to the Gelmersee. Stay in the villages in the Oberhasli and in mountain huts such as Windegg, Trift and Gelmer.

Meiringen: plaque tournante pour les excursions dans la région d'Oberhasli; cars postaux vers Gadmen (col du Susten), Guttannen (col du Grimsel), Rosenlaui (seulement en été) et téléphérique pour monter à Hasliberg; ligne ferroviaire du Brünig. Belles excursions avec les petits téléphériques de Trift (1 h de montée jusqu'au pont suspendu) et de Gelmersee. Hébergement dans la région d'Oberhasli et dans des cabanes comme celles de Windegg, Trift et Gelmer.

Meiringen: partenza per le escursioni nell'Oberhasli. Gli autopostali circolano in direzione Gadmen (Sustenpass), Guttannen (Grimselpass), Rosenlaui (solo in estate); funivia per Hasliberg; linea ferroviaria del Brünig. Belle gite con trenini di montagna a Trift (per il ponte di funi: 1 h. di salita) e al Lago Gelmer. Alloggi nei paesi dell'Oberhasli e in rifugi come Windegg, Trift e Gelmer.

Landeskarte 1:50 000 (swisstopo) 255 Sustenpass www.MySwitzerland.com/49 www.trift.ch www.alpenregion.ch

Schweizer Alpenpässe
Swiss Alpine Passes
Les cols alpins suisses
Passi alpini svizzeri

Passverbindungen queren die Alpen von Nord nach Süd sowie inneralpin von einem Tal zum anderen. Passrundfahrten mit Auto, Motorrad oder öffentlichem Verkehr (Fahrplan beachten). Die meisten Alpenpässe haben Wintersperre. Unterkunft in den Talorten, oft auch Camping; zum Teil Hotels auf den Pässen selbst.

Road passes criss-cross the alps from north to south and from valley to valley. Round trips over passes by car, motorbike or public transport (see timetable). Most alpine passes are closed in the winter. Stay in the valleys (plenty of campsites), or in the hotels up on the passes.

Des cols routiers permettent de traverser les Alpes du nord au sud ainsi que de passer d'une vallée à l'autre. Circuits des cols en voiture, à moto ou avec les transports publics (consulter les horaires). La plupart des cols sont fermés en hiver. Hébergement dans les localités des vallées, également campings; hôtels sur quelques cols.

I collegamenti tra i passi solcano le Alpi da nord a sud, ma anche in senso trasversale tra una valle e l'altra. Giri dei passi in auto, moto o con il trasporto pubblico (verificare gli orari). I valichi alpini in inverno, per la maggior parte, sono chiusi. Alloggi nelle località vallive, spesso anche in camping. In parte, hotel sugli stessi passi.

Hallwag, Schweiz Strassenkarte 1:303 000 www.MySwitzerland.com/52 www.schweizerseiten.ch/ paesse_strasse.htm www.postauto.ch

Freilichtmuseum Ballenberg
Swiss Open Air Museum
Musée suisse de l'habitat rural
Museo svizzero all'aperto

Freilichtmuseum am oberen Ende des Brienzersees. Von Brienz und Brünigpass Busverbindungen. Offen Mitte April bis Ende Oktober. Kurszentrum für Handwerk, traditionelles Bauhandwerk und zeitgenössische Gestaltung angegliedert. Ausflüge auf dem Brienzersee, zum Brienzer Rothorn oder zu den Giessbachfällen und zum -Hotel.

Openair museum at the upper end of Lake Brienz. Bus connections from Brienz and the Brünig Pass. Open mid-April until the end of October. Adjoining course centre for handicrafts, traditional building crafts and contemporary art. Excursions on Lake Brienz, to the Brienzer Rothorn or to the Giessbach waterfalls and hotel.

Musée en plein air à l'extrémité supérieure du lac de Brienz. Liaisons en bus depuis Brienz et le col du Brünig. Ouvert de mi-avril à fin octobre. Centre de cours pour l'artisanat, la construction traditionnelle et le design contemporain. Excursions sur le lac de Brienz, montée au Rothorn de Brienz ou aux chutes et à l'hôtel de Giessbach.

Museo all'aperto al limite superiore del Lago di Brienz. Collegamenti bus da Brienz e dal Brünig. Apertura: metà aprile – fine ottobre. Annesso Centro dell'artigianato rurale e dei mestieri tradizionali. Gite sul Lago di Brienz, al Brienzer Rothorn o alle cascate di Giessbach, con hotel.

Landeskarte 1:25 000 (swisstopo) 1209 Brienz www.ballenberg.ch www.alpenregion.ch www.brienz-rothorn-bahn.ch www.giessbach.ch